LE CONSENTEMENT

VANESSA SPRINGORA

LE CONSENTEMENT

BERNARD GRASSET
PARIS

Photo de la bande : JF Paga.

ISBN 978-2-246-82269-1

*À Benjamin
et
pour Raoul*

PROLOGUE

Les contes pour enfants sont source de sagesse. Sinon pour quelle raison traverseraient-ils les époques ? Cendrillon s'efforcera de quitter le bal avant minuit ; le Petit Chaperon rouge se méfiera du loup et de sa voix enjôleuse ; la Belle au bois dormant se gardera d'approcher son doigt de ce fuseau à l'attrait irrésistible ; Blanche-Neige se tiendra éloignée des chasseurs et sous aucun prétexte ne mordra la pomme, si rouge, si appétissante, que le destin lui tend…

Autant d'avertissements que toute jeune personne ferait bien de suivre à la lettre.

Un de mes premiers livres était un recueil de contes des frères Grimm. Je l'ai usé jusqu'à la corde, au point que les coutures s'effilochaient sous l'épaisse couverture cartonnée avant que ses pages finissent par s'effeuiller une à une. Cette perte m'a laissée inconsolable. Si ces merveilleuses histoires me parlaient de légendes éternelles, les livres, eux, n'étaient que des objets mortels, destinés au rebut.

Avant même de savoir lire et écrire, j'en fabriquais avec tout ce qui me tombait sous la main : des journaux, des magazines, du carton, du scotch, de la ficelle. Aussi solides que possible. D'abord l'objet. L'intérêt pour le contenu viendrait plus tard.

Aujourd'hui, c'est avec méfiance que je les observe. Une paroi de verre s'est dressée entre eux et moi. Je sais qu'ils peuvent être un poison. Je sais quelle charge toxique ils peuvent renfermer.

Depuis tant d'années, je tourne en rond dans ma cage, mes rêves sont peuplés de meurtre et de vengeance. Jusqu'au jour où la solution se présente enfin, là, sous mes yeux, comme une évidence : prendre le chasseur à son propre piège, l'enfermer dans un livre.

I.

L'enfant

« Notre sagesse commence où celle de l'auteur finit, nous voudrions qu'il nous donnât des réponses, quand tout ce qu'il peut faire est de nous donner des désirs. »

Marcel PROUST, *Sur la lecture*

À l'aube de ma vie, vierge de toute expérience, je me prénomme V., et du haut de mes cinq ans. j'attends l'amour.

Les pères sont pour leurs filles des remparts. Le mien n'est qu'un courant d'air. Plus que d'une présence physique, je me souviens d'une senteur de vétiver qui embaume la salle de bains au petit matin, d'objets masculins posés çà et là, une cravate, un bracelet-montre, une chemise, un briquet Dupont, d'une façon de tenir sa cigarette entre l'index et le majeur, assez loin du filtre, d'une manière toujours ironique de parler, si bien que je ne sais

13

jamais s'il plaisante ou non. Il part tôt et rentre tard. C'est un homme occupé. Très élégant, aussi. Ses activités professionnelles varient trop vite pour que je parvienne à en saisir la nature. À l'école, lorsqu'on m'interroge sur sa profession, je suis bien incapable de la nommer, mais de toute évidence, puisque le monde extérieur l'attire davantage que la vie domestique, il est quelqu'un d'important. Du moins, c'est ce que j'imagine. Ses costumes sont toujours impeccables.

Ma mère m'a conçue à l'âge précoce de vingt ans. Elle est belle, les cheveux d'un blond scandinave, le visage doux, des yeux bleu pâle, une silhouette élancée aux courbes féminines, un joli timbre de voix. Mon adoration pour elle n'a pas de limite, elle est mon soleil et ma joie.

Mes parents forment un couple bien assorti, ma grand-mère le répète souvent, faisant référence à leurs physiques de cinéma. Nous devrions être heureux et pourtant mes souvenirs de notre vie à trois, dans cet appartement où je connais brièvement l'illusion d'une unité familiale, ont tout du cauchemar.

Le soir, enfouie sous les couvertures, j'entends mon père hurler, traiter ma mère de « salope » ou de « pute », sans en comprendre la raison. À la moindre occasion, pour un détail, un regard, un simple mot « déplacé », sa jalousie explose. D'un instant à l'autre, les murs se mettent à trembler, la vaisselle vole, les portes claquent. D'une maniaquerie obsessionnelle, il ne tolère pas qu'on déplace un objet sans son accord. Un jour, il manque d'étrangler ma mère parce qu'elle a renversé un verre de vin sur une nappe blanche qu'il vient de lui offrir. Bientôt, la fréquence de ces scènes s'accélère. C'est une machine lancée dans une course folle, personne ne peut plus l'arrêter. Mes parents passent désormais des heures entières à s'envoyer à la figure les pires insultes. Jusqu'à l'heure tardive où ma mère vient se réfugier dans ma chambre pour y sangloter en silence, blottie contre moi, dans mon étroit lit d'enfant, avant de rejoindre, seule, le lit conjugal. Le lendemain, mon père dort une fois encore sur le canapé du salon.

Contre ces colères irrépressibles et ces caprices d'enfant gâté, ma mère a épuisé toutes ses cartouches. Il n'y a aucun remède à la folie de cet homme qu'on dit caractériel. Leur mariage est une guerre sans fin, un carnage dont tout le monde a oublié l'origine. Le conflit sera bientôt réglé de façon unilatérale. Ce n'est plus qu'une question de semaines.

Pourtant, ils ont bien dû s'aimer un jour, ces deux-là. Au bout d'un interminable couloir, occultée par la porte d'une chambre à coucher, leur sexualité a sur moi l'effet d'un angle mort où serait tapi un monstre : omniprésente (les crises de jalousie de mon père en sont le témoignage quotidien),

15

mais parfaitement ésotérique (je n'ai aucun souvenir de la moindre étreinte, du moindre baiser, du plus infime geste de tendresse entre mes parents).

Par-dessus tout, ce que je cherche déjà, sans le savoir, c'est à déchiffrer le mystère qui parvient à réunir deux êtres derrière la porte close d'une chambre à coucher, ce qui se trame alors entre eux. Comme dans les contes pour enfants où le merveilleux fait brusquement irruption dans le réel, la sexualité s'apparente dans mon imaginaire à un processus magique d'où naissent miraculeusement les bébés, et qui peut surgir à l'improviste dans la vie de tous les jours, sous des formes souvent indéchiffrables. Provoquée, ou accidentelle, la rencontre avec cette puissance énigmatique suscite très tôt chez l'enfant que je suis une curiosité persistante, et terrifiée.

À plusieurs reprises, je me présente dans la chambre de mes parents, au beau milieu de la nuit, en pleurs, debout dans l'encadrement de la porte, me plaignant d'un mal de ventre ou de tête, avec sans doute le but inconscient d'interrompre leurs ébats, pour les trouver le drap relevé jusqu'au menton, l'air idiot et étrangement coupable. L'image précédente, celle de leurs corps entremêlés, je n'en garde pas la moindre trace. Elle est comme effacée de ma mémoire.

Mes parents sont un jour convoqués par la directrice de l'école. Mon père ne vient pas. C'est ma mère qui écoute, inquiète, le récit de ma vie diurne.

— Votre fille tombe de sommeil, on dirait qu'elle ne dort pas la nuit. J'ai dû lui faire installer un lit de camp au fond de la classe. Que se passe-t-il ? Elle m'a parlé de disputes très violentes entre son père et vous, la nuit. Par ailleurs, une surveillante a remarqué que V. se retrouvait souvent dans les toilettes des garçons à l'heure de la récréation. J'ai demandé à V. ce qu'elle fabriquait. Elle m'a répondu avec le plus grand naturel : « C'est pour aider David à faire pipi droit. Je lui tiens son zizi. » David vient d'être circoncis, et il aurait en quelque sorte du mal à… viser. Je vous rassure, à cinq ans, ce genre de jeux n'a rien d'anormal. Je voulais juste que vous soyez informée.

Un jour, ma mère prend une décision irrévocable. Profitant du séjour en colonie de vacances qu'elle a secrètement planifié pour procéder à notre déménagement, elle quitte mon père, sans retour. C'est l'été qui précède mon entrée au cours préparatoire. Le soir, une monitrice me lit, assise sur le rebord du lit, les lettres dans lesquelles ma mère décrit notre nouvel appartement, ma nouvelle chambre à coucher, ma nouvelle école, mon nouveau quartier, bref, la nouvelle disposition de notre nouvelle vie, lorsque je rejoindrai Paris. Du fin fond de la campagne où l'on m'a expédiée, au milieu des cris d'enfants redevenus sauvages en l'absence de leurs parents, tout cela me paraît bien abstrait. La

17

monitrice a souvent l'œil humide et la voix brisée tout en me faisant à haute voix la lecture de ces courriers maternels faussement enjoués. Après ce rituel du soir, il arrive qu'on me retrouve la nuit, à cause d'une crise de somnambulisme, en train de descendre les escaliers à reculons, en direction de la porte de sortie.

Débarrassée du tyran domestique, notre vie prend un tour enivrant. Nous vivons désormais sous les combles. Des chambres de bonnes réaménagées. On tient à peine debout dans la mienne, mais il y a des recoins secrets partout.

J'ai maintenant six ans. Je suis une petite fille studieuse, bonne élève, obéissante et sage, vaguement mélancolique, comme le sont souvent les enfants de parents divorcés. Je ne ressens aucune révolte intérieure, je fuis toute forme de transgression. Bon petit soldat, ma mission principale consiste à rapporter les meilleurs bulletins scolaires à ma mère, que je continue d'aimer plus que tout.

Le soir, elle joue parfois tout Chopin au piano jusqu'à des heures indues. Le volume des enceintes à fond, il nous arrive de danser jusque tard dans la nuit ; les voisins, furieux, débarquent en vociférant parce que la musique est trop forte, mais nous nous en moquons. Le week-end, ma mère prend son bain, magnifique, un kir royal dans une main, de l'autre fumant une JPS, un cendrier posé en équilibre sur le rebord de la baignoire, ses ongles vermillon contrastant avec sa peau laiteuse et ses cheveux blond platine.

Le ménage est souvent remis au lendemain.

Mon père s'arrange pour ne plus payer sa pension alimentaire. Certaines fins de mois sont difficiles. Malgré les fêtes qui se succèdent dans notre appartement, et ses amours, toujours transitoires, ma mère se révèle plus solitaire que je ne l'aurais cru. Lorsque je l'interroge un jour sur la place que joue dans sa vie un de ses amants, elle me répond : « Il n'est pas question que je te l'impose, ni de remplacer ton père. » Elle et moi formons désormais un couple fusionnel. Aucun homme ne viendra plus s'immiscer dans notre intimité.

Dans ma nouvelle école, je suis devenue inséparable d'une autre petite fille, Asia. Ensemble, nous apprenons à lire et à écrire, mais aussi à explorer notre quartier, charmant village avec ses terrasses de café à tous les coins de rue. Nous partageons surtout une liberté atypique. Contrairement à la majorité de nos camarades, personne pour nous surveiller, chez nous, pas d'argent pour des baby-sitters, même le soir. C'est inutile. Nos mères nous font toute confiance. Nous sommes irréprochables.

Quand je n'ai encore que sept ans, mon père m'accueille le temps d'une nuit chez lui. Un fait exceptionnel qui ne se reproduira plus. Ma chambre à coucher a d'ailleurs été transformée en bureau depuis que ma mère et moi avons quitté l'appartement.

Je me suis endormie sur le canapé. Et me suis réveillée à l'aube, dans ce lieu où je me sens désormais comme une étrangère. Par désœuvrement, je m'approche de la bibliothèque, classée et rangée avec un soin méticuleux. J'en retire deux ou trois livres, au hasard, les repose délicatement à leur place, m'attarde sur une édition miniature du Coran écrite en arabe, caresse sa minuscule couverture de maroquin rouge, tente de déchiffrer ces signes incompréhensibles. Ce n'est pas un jouet, bien sûr, mais ça y ressemble. Et avec quoi d'autre pourrais-je m'amuser ici, il n'y a plus un seul jeu dans cette maison ?

Une heure plus tard, mon père se lève et entre dans la pièce. Avant toute chose, il jette un regard circulaire autour de lui, s'arrête sur la bibliothèque, scrute, accroupi, chaque étagère. Il s'agite comme un dément. Et avec la précision maniaque d'un inspecteur des impôts, déclare d'un air triomphal : « Tu as touché à ce livre, ce livre et ce livre ! » Sa voix tonitruante résonne maintenant à travers la pièce. Je ne comprends pas : quel mal peut-il bien y avoir à *toucher* un livre ?

Le plus effrayant, c'est qu'il a vu juste. Pour chacun des trois. Heureusement, je ne suis pas assez grande pour avoir accédé à la dernière rangée de la bibliothèque, celle du haut, sur laquelle son regard s'est longuement attardé, et d'où ses yeux sont redescendus, après un mystérieux soupir de soulagement.

Que dirait-il s'il s'était aperçu, la veille, qu'en cherchant quelque chose dans un placard, je suis tombée nez à nez avec une femme nue grandeur nature, tout en latex, des orifices formant d'horribles creux et plis aux niveaux de la bouche et du sexe, son sourire narquois et ses yeux mornes rivés sur moi, coincée entre un aspirateur et un balai-brosse ? Une autre image de l'Enfer, refoulée aussi vite que la porte du placard s'est refermée.

Souvent, après les cours, Asia et moi empruntons plusieurs détours pour retarder le moment où il faudra nous séparer. À la croisée de deux rues, sur une petite esplanade surplombée par une volée d'escaliers, des adolescents viennent faire du roller ou du skate-board, fumer une cigarette par petits groupes. Nous avons fait des marches en pierre notre poste d'observation pour admirer les figures exécutées par des garçons dégingandés et frimeurs.

Un mercredi après-midi, nous revenons chaussées de nos propres patins à roulettes. Nos débuts sont hésitants et maladroits. Les garçons nous chambrent un peu, puis nous oublient. Grisées par la vitesse et la frayeur de ne pas réussir à freiner à temps, nous ne pensons plus qu'au plaisir de glisser. Il est encore tôt, mais comme c'est l'hiver, la nuit est déjà tombée. Au moment où nous nous apprêtons à rentrer, les patins encore aux pieds, nos chaussures à la main, les joues en feu, encore essoufflées mais heureuses, un homme surgit, emmitouflé dans un grand manteau, se plante devant nous et dans un large mouvement de bras qui le fait ressembler à un albatros, écarte d'un coup sec les pans de son pardessus, nous laissant, médusées, devant la vision grotesque d'un sexe boursouflé, tendu à travers la glissière d'une fermeture Éclair. Entre panique et fou rire, Asia se redresse d'un bond, je l'imite, mais nous nous cassons toutes les deux la figure, déséquilibrées par les patins que nous avions oubliés. Quand nous nous relevons, le type a disparu, tel un fantôme.

Mon père fait encore quelques brèves apparitions dans notre vie. De retour de je ne sais quel voyage à l'autre bout du monde, et de passage chez ma mère pour fêter mes huit ans, il me rapporte le plus inespéré des cadeaux : le camping-car transformable de Barbie, dont rêvent toutes les filles de mon âge. Je me jette dans ses bras de reconnaissance, passe une heure à déballer l'objet avec des précautions de collectionneuse, à admirer sa couleur jaune banane et son mobilier intérieur rose fuchsia. Il possède plus d'une douzaine d'accessoires, un toit ouvrant, une cuisine escamotable, un transat, un lit deux places…

Deux places ? Malheur ! Ma poupée préférée est célibataire, et elle aura beau étirer ses longues jambes depuis sa chaise pliante en s'écriant « Quel soleil magnifique, aujourd'hui », l'ennui sera mortel. Faire du camping toute seule, ce n'est pas une vie. Tout à coup, je me souviens d'un spécimen masculin rangé depuis des lustres dans un tiroir car jusqu'ici sans emploi, un Ken rouquin à la mâchoire carrée, un genre de bûcheron sûr de lui, à chemise à carreaux, avec qui Barbie se sentira forcément en sécurité quand elle campera en pleine nature. C'est la nuit, il faut aller dormir maintenant. J'installe Ken et sa belle côte à côte sur leur lit, mais il fait trop chaud. Il faut d'abord enlever leurs vêtements, voilà, comme ça ils seront plus à l'aise, avec cette canicule. Barbie et Ken n'ont ni poils, ni sexe, ni tétons, c'est bizarre, mais leurs proportions parfaites compensent ce léger défaut. J'ai relevé la couverture sur leurs corps lisses et brillants. Laissé le toit ouvert sur la nuit étoilée. Mon père s'est levé de son fauteuil, prêt à repartir, il enjambe le camping-car auprès duquel je suis encore affairée à ranger un panier de pique-nique miniature, s'agenouille pour regarder sous l'auvent. Un sourire narquois tord son visage au moment où il prononce ces mots obscènes : « Alors, ça baise ? »

Rose fuchsia est désormais la couleur de mes joues, de mon front, de mes mains. Certaines personnes ne comprendront jamais rien à l'amour.

À cette époque, ma mère travaille dans une petite maison d'édition qui occupe le rez-de-chaussée de la cour de notre immeuble, situé à trois rues de l'école. Quand je ne rentre pas avec Asia, je prends souvent mon goûter dans un des recoins fabuleux de cet antre regorgeant de tout un bric-à-brac d'agrafeuses, rouleaux de scotch, rames de papier, post-it, trombones, stylos de toutes les couleurs, véritable caverne d'Ali Baba. Et puis il y a ces livres, par centaines, entassés à la va-vite sur des étagères croulantes. Empaquetés dans des cartons. Muséifiés dans des vitrines. Photographiés et affichés sur les murs. Mon terrain de jeu est le royaume des livres.

Dans la cour, l'ambiance est toujours gaie en fin de journée, surtout au retour des beaux jours. La gardienne sort de sa loge une bouteille de champagne à la main, on installe chaises et table de jardin, des écrivains, des journalistes traînent là leur oisiveté jusqu'à l'arrivée de la nuit. Tout ce beau

monde est cultivé, brillant, spirituel, et parfois
célèbre. C'est un univers merveilleux, paré de toutes
les qualités. Les professions des autres, les parents
de mes amis, les voisins, me paraissent, par comparaison, ennuyeuses et routinières.

Un jour, moi aussi, j'écrirai des livres.

Après la séparation de mes parents, je ne vois plus mon père que de loin en loin. En règle générale, il me donne rendez-vous à l'heure du dîner, dans des restaurants toujours très chers, comme cet établissement marocain à la décoration douteuse où une femme aux formes rebondies, en tenue affriolante, surgit à la fin du repas pour exécuter sa danse du ventre à quelques centimètres de nous. Arrive ce moment qui me crève les yeux de honte : mon père glisse son plus gros billet dans l'élastique de la culotte ou du soutien-gorge de la belle Shéhérazade, avec dans le regard un mélange de fierté et de concupiscence. Peu lui importe que je me sois désintégrée dans l'atmosphère au moment où claque l'élastique de la culotte pailletée.

La danse du ventre, c'est dans le meilleur des cas, à savoir lorsqu'il se présente au rendez-vous. Deux fois sur trois, j'attends, assise sur la banquette d'un de ces restaurants hors de prix, que monsieur daigne se montrer. Le serveur vient parfois m'avertir que mon « papa a téléphoné et qu'il ne sera en retard que d'une demi-heure ». Puis il m'apporte un sirop à l'eau en me lançant des clins d'œil du fond de la salle. Une heure plus tard, mon père n'est toujours pas là. Consterné, le serveur me sert une troisième grenadine en tentant de me faire sourire, et repart en grommelant : « Si c'est pas malheureux ! Faire attendre une pauvre gamine, comme ça, à dix heures du soir ! » Alors, c'est à moi que le serveur glisse un billet de banque, cette fois pour payer le taxi qui me ramènera chez ma mère, furieuse, bien évidemment, mon père ayant encore attendu la dernière minute pour la prévenir d'un malheureux empêchement.

Jusqu'au jour prévisible, où, pressé par une nouvelle compagne qui doit elle aussi me trouver trop encombrante, il finit par ne plus me donner signe de vie. C'est sans doute de cette époque que je nourris une affection toute particulière pour les serveurs de café, avec lesquels, dès mon plus jeune âge, je me suis toujours sentie en famille.

Certains enfants passent leurs journées dans les arbres. Moi, je passe les miennes dans les livres. Je noie ainsi le chagrin inconsolable dans lequel l'abandon de mon père m'a laissée. La passion occupe tout mon imaginaire. Je lis, trop tôt, des romans auxquels je ne comprends pas grand-chose, si ce n'est que l'amour fait mal. Pourquoi souhaite-t-on si précocement être dévoré ?

De la sexualité des adultes, j'ai enfin un bref aperçu, un certain soir d'hiver, autour de ma neuvième année. Nous sommes en vacances avec ma mère dans un petit hôtel familial à la montagne. Des amis occupent les chambres voisines. La nôtre est composée d'une grande pièce en L, de sorte qu'on a pu m'installer un lit d'appoint dans la partie cachée, derrière une mince cloison. Quelques jours plus tard l'amant de ma mère nous rejoint, à l'insu de sa femme. C'est un bel homme, artiste, sentant le tabac à pipe, portant gilets et nœuds papillons à la mode du siècle dernier. Je ne l'intéresse pas. Il est souvent embarrassé de me trouver le mercredi après-midi en train de faire le poirier devant la télévision, à l'heure où il se soustrait à l'attention de ses employés pour retrouver ma mère une heure ou deux et s'enfermer avec elle dans la chambre du fond. Il lui en a d'ailleurs fait la remarque un jour : « Ta fille ne fait rien de son temps, tu pourrais l'inscrire à des activités plutôt que de la laisser s'abrutir devant des idioties tout l'après-midi ! »

Cette fois, il a débarqué en fin de journée. Je suis habituée à ses irruptions intempestives et ne m'en formalise plus, mais ce n'est pas le genre d'homme que j'imaginais sur des skis. Après le dîner, je suis allée me coucher, laissant les adultes à leurs conversations embrumées. Comme à mon habitude, j'ai lu quelques pages d'un livre puis me suis enfoncée dans le sommeil, mes muscles courbaturés soudain plus légers que des flocons de neige, flottant, ondulant de nouveau sur les pistes immaculées en même temps que le sommeil m'emporte.

Je suis réveillée par des soupirs, des frottements de corps et de draps, puis des chuchotements parmi lesquels je reconnais les intonations de ma mère, et, avec effroi, les inflexions, plus autoritaires, de l'homme à la moustache. « Retourne-toi » est le seul fragment de phrase que mon ouïe, soudain surdéveloppée, parvient à distinguer.

Je pourrais me boucher les oreilles, manifester par quelques légers toussotements que je suis bel et bien réveillée. Mais je reste pétrifiée tout le temps que durent ces ébats, tentant de ralentir le rythme de ma respiration et priant pour qu'aucun battement de mon cœur ne s'entende à l'autre bout de la pièce, plongée dans une pénombre inquiétante.

L'été suivant, je passe des vacances dans la maison bretonne d'un camarade de classe qui va devenir mon meilleur ami. Un peu plus âgée que nous, sa cousine nous a rejoints pour quelques jours. Nous dormons dans ce genre de chambre aux lits superposés, cabanes et grottes secrètes. Dès que les adultes ont quitté la pièce, après le dernier baiser du soir, la porte à peine refermée, commencent, sous nos tentes de vieilles couvertures écossaises, des jeux inavouables bien qu'encore assez chastes. Nous avons amassé quelques accessoires qui nous semblent hautement érotiques (plumes, morceaux d'étoffe tels que velours ou satin arrachés à de vieilles poupées, loups vénitiens, cordelettes...) et tandis que l'un de nous est désigné prisonnier consentant, les deux autres s'emploient à caresser la victime impuissante, le plus souvent les yeux bandés et les poignets liés, chemise de nuit relevée ou pantalon de pyjama baissé, avec les divers objets soigneusement cachés sous nos matelas durant la journée. Ces effleurements délicieux nous ravissent, et il arrive que nous allions jusqu'à poser furtivement nos lèvres, cette fois-ci à travers le filtre d'un tissu, sur un mamelon ou une motte imberbe.

Au matin, nous ne ressentons aucune gêne : le souvenir de ces voluptés nocturnes s'est dilué dans le sommeil, nous nous chamaillons de la même manière, nous ébattons dans la campagne avec la même candeur. Après avoir regardé le film *Jeux interdits* au Cinéclub, confectionner des cimetières d'animaux, tels que taupes, oiseaux et insectes, est devenu chez nous une activité compulsive. Éros et Thanatos, toujours.

Julien et moi, qui sommes dans la même classe, allons prolonger ces jeux durant plusieurs années, chez l'un ou chez l'autre. Dans la journée, disputes de chiffonniers comme deux frère et sœur. Le soir, dans l'ombre de la chambre à coucher, nos petits matelas posés au sol, rapprochement magnétique, sortilège qui nous transforme en insatiables débauchés.

Le soir, nos corps se tendent l'un vers l'autre, en quête d'un plaisir qui ne trouve jamais satisfaction, mais cette recherche même suffit à recommencer chaque fois les mêmes gestes à l'aveuglette, d'abord infiniment maladroits et furtifs, puis au fil du temps, de plus en plus précis. Passés maîtres dans l'art de la contorsion, quand il s'agit d'inventer cette nouvelle gymnastique, notre imagination n'a pas de limite. Jamais nous n'atteignons le paroxysme intuitivement convoité, la connaissance de nos corps demeure encore trop succincte, mais nous restons au bord de ce plaisir durant de longues minutes, guettant chez l'autre l'effet de chaque caresse, avec le désir trouble, plein de terreur, que quelque chose bascule, qui ne vient jamais.

Notre entrée au collège sonne la fin de notre insouciance. Un liquide rouge et visqueux s'est mis à couler entre mes cuisses. Ma mère m'annonce : « Ça y est, tu es devenue une femme. » Depuis que mon père a disparu des radars, je cherche désespérément à accrocher le regard des hommes. Peine perdue. Je suis ingrate. Sans le moindre attrait. Pas comme Asia, si jolie, que les garçons sifflent déjà sur notre passage.

Julien et moi venons de fêter nos douze ans. Si parfois, le soir, avant de passer à des jeux plus osés, nous nous embrassons langoureusement, jamais cette complicité ne prend la forme de l'amour. Il n'y a aucune tendresse entre nous, aucune attention l'un pour l'autre dans notre vie diurne. Jamais nous ne nous prenons la main, geste bien plus intimidant que tous ceux que nous exécutons la nuit, dans le secret de nos alcôves en plume d'oie. Nous sommes tout sauf des « fiancés », comme disent les parents.

Au collège, Julien commence à prendre ses distances. Parfois nous nous retrouvons chez l'un ou l'autre, après plusieurs semaines passées à nous ignorer. Julien me parle de telle ou telle fille dont il est amoureux. Je l'écoute sans lui montrer mon désarroi. Moi, il faut croire que je ne plais à personne. Trop grande, trop plate, les cheveux toujours au milieu de la figure, un garçon m'a même un jour traitée de crapaud en pleine cour de récréation. Asia a déménagé loin de chez nous. Comme toutes les filles de mon âge, j'achète un carnet et commence à tenir un journal. Et tandis que l'adolescence jette sur moi sa main ingrate, je ne ressens plus qu'une solitude dévorante.

Pour couronner le tout, la petite maison d'édition du rez-de-chaussée a mis la clef sous la porte. Afin de joindre les deux bouts, ma mère corrige des guides de voyage chez elle, penchée des heures durant sur des pages qu'elle parcourt au kilomètre. Il faut maintenant compter l'argent. Éteindre les lumières, ne pas gaspiller. Les fêtes s'espacent, les amis viennent de moins en moins jouer du piano et chanter à tue-tête à la maison, ma mère, si belle, s'étiole, s'isole, boit trop, se réfugie des heures entières devant sa télé, prend du poids, se néglige, va trop mal pour voir que son célibat est aussi lourd à porter pour moi que pour elle.

Un père aux abonnés absents qui a laissé dans mon existence un vide insondable. Un goût prononcé pour la lecture. Une certaine précocité sexuelle. Et, surtout, un immense besoin d'être regardée.

Toutes les conditions sont maintenant réunies.

II.

La proie

Consentement : *Domaine moral.* Acte libre de la pensée par lequel on s'engage entièrement à accepter ou à accomplir quelque chose. *Domaine juridique.* Autorisation de mariage donnée par les parents ou le tuteur d'un mineur.

Trésor de la langue française

Un soir, ma mère me traîne dans un dîner où sont invitées quelques personnalités du monde littéraire. Je refuse d'abord tout net d'y aller. La compagnie de ses amis m'est devenue aussi pénible que celle de mes camarades de classe, dont je me détourne de plus en plus souvent. À treize ans, je vire franchement misanthrope. Elle insiste, se fâche, use du chantage affectif, je dois arrêter de me morfondre toute seule dans mes livres, et puis qu'est-ce qu'ils m'ont fait ses amis, pourquoi je ne veux plus les voir ? Je finis par céder.

À table, il est assis à un angle de quarante-cinq degrés. Une prestance évidente. Bel homme, d'un âge indéterminé, malgré une calvitie complète, soigneusement entretenue et qui lui donne un air de bonze. Son regard ne cesse d'épier le moindre de mes gestes et quand j'ose enfin me tourner vers lui, il me sourit, de ce sourire que je confonds dès le premier instant avec un sourire paternel, parce que c'est un sourire d'homme et que de père, je n'en ai plus. À coups de belles reparties, de citations placées toujours à propos, l'homme qui, je le comprends rapidement, est écrivain, sait charmer son auditoire et connaît sur le bout des doigts les codes du dîner mondain. Chaque fois qu'il ouvre la bouche, les rires fusent de toutes parts, mais c'est toujours sur moi que s'attarde son regard, amusé, intrigant. Jamais aucun homme ne m'a regardée de cette façon.

Je retiens au vol son nom, dont la consonance slave attise tout de suite ma curiosité. Ce n'est qu'une simple coïncidence, mais je dois mon nom de famille et un quart de mon sang à la Bohême de Kafka, dont je viens de lire avec fascination *La Métamorphose* ; quant aux romans de Dostoïevski, ils sont, à ce moment précis de mon adolescence, ce que je me représente comme le plus haut sommet de la littérature. Un patronyme russe, un physique de moine bouddhiste émacié, des yeux d'un bleu surnaturel, il n'en faut pas plus pour capter mon attention.

Lors des dîners auxquels ma mère est invitée, je me laisse d'ordinaire bercer, à demi assoupie dans une pièce attenante, par le brouhaha des conversations que j'écoute d'une oreille en apparence distraite, bien que, en réalité, très affûtée. Ce soir-là, j'ai apporté un livre et me suis réfugiée après le plat de résistance dans un petit salon ouvert sur la salle à manger, où l'on sert maintenant le fromage (interminable succession de plats, à intervalles non moins interminables). De là, penchée sur les pages devenues illisibles, impossible de me concentrer, je sens à tout instant le regard de G., assis à l'autre bout de la pièce, me caresser la joue. Sa voix légèrement chuintante, ni masculine ni féminine, s'insinue en moi comme un charme, un envoûtement. Chaque inflexion, chaque mot paraissent m'être destinés, suis-je la seule à m'en apercevoir ?

La présence de cet homme est cosmique.

L'heure du départ arrive. Ce moment que je crains d'avoir rêvé, ce trouble de m'être sentie désirée pour la première fois, va bientôt prendre fin. Dans quelques minutes, nous nous dirons au revoir et plus jamais je n'entendrai parler de lui. Mais au moment où j'enfile mon manteau, j'aperçois ma mère en train de minauder avec le séduisant G., qui semble lui aussi se prêter au jeu avec naturel. Je n'en reviens pas. Bien sûr, comment ai-je pu m'imaginer que cet homme puisse s'intéresser à moi, une simple adolescente, aussi ingrate qu'un crapaud ? G. et ma mère échangent encore quelques mots, elle rit, flattée par ses attentions, et subitement je l'entends dire :

— Tu viens, ma chérie, on raccompagne d'abord Michel, ensuite G. qui n'habite pas très loin de la maison, et puis on rentre.

Dans la voiture, G. est assis à côté de moi, sur la banquette arrière. Quelque chose de magnétique circule entre nous. Son bras contre le mien, ses yeux posés sur moi, et ce sourire carnassier de grand fauve blond. Toute parole est superflue.

Ce soir-là, le livre que j'avais apporté et que je lisais dans le petit salon, c'était *Eugénie Grandet*, de Balzac, qui devient, à la faveur d'un jeu de mots resté longtemps inconscient, le titre inaugural de la comédie humaine à laquelle je m'apprête à participer : « L'ingénue grandit ».

La semaine qui suit cette première rencontre, je me précipite dans une librairie. J'achète un livre de G., surprise néanmoins que le libraire me déconseille l'exemplaire que j'ai pris au hasard et m'oriente plutôt vers un autre choix du même auteur. « Celui-ci vous conviendra davantage », dit-il de façon sibylline. Une photo de G. en noir et blanc ponctue une longue frise de portraits du même format à l'effigie des écrivains notables de l'époque, courant tout le long des murs de la pièce. J'ouvre le livre à la première page et, coïncidence troublante (une de plus), la première phrase – pas la seconde, ni la troisième, mais la toute première, celle même qui inaugure le texte, le fameux incipit sur lequel tant de générations d'écrivains s'échinent – commence par ma date de naissance complète, jour, mois, année : « Ce jeudi 16 mars 1972, l'horloge de la gare du Luxembourg marquait midi trente... » Si ce n'est pas un signe que celui-là ! Émue autant qu'impressionnée, je quitte les lieux avec le précieux volume sous le bras, le pressant déjà contre mon cœur comme s'il s'agissait d'un cadeau du destin.

Durant deux jours, je dévore ce roman, qui sans avoir rien de scandaleux (le libraire l'a habilement choisi) contient de franches allusions au fait que le narrateur se montre plus perméable à la beauté des jeunes filles qu'à celle des femmes de son âge. Je rêvasse au privilège d'avoir rencontré un homme de lettres si talentueux, si brillant aussi (en réalité c'est le souvenir de son regard sur moi qui me donne des ailes) et peu à peu, je me transforme. Je m'observe devant la glace et me trouve maintenant plutôt jolie. Envolé, le crapaud dont le reflet me faisait fuir dans les vitrines des magasins. Comment ne pas me sentir flattée qu'un homme, qui plus est un « homme de lettres », ait daigné poser les yeux sur moi ? Depuis l'enfance, ce sont les livres qui me tiennent lieu de frères et sœurs, de compagnons de route, de tuteurs et d'amis. Et par vénération aveugle de l'« écrivain » avec un grand E, je confonds dès lors l'homme et son statut d'artiste.

Chaque jour, c'est moi qui monte le courrier chez nous. La gardienne me le remet quand je rentre du collège. Entre diverses enveloppes administratives j'aperçois mon nom et mon adresse tracés à l'encre bleu turquoise, d'une écriture perlée, légèrement penchée vers la gauche, en ascendance, comme si les paragraphes cherchaient à s'envoler. Au dos sont écrits de la même encre azurée le prénom et le nom de G.

De ces lettres, il y en aura beaucoup, d'une onctuosité parfaite, égrenant une kyrielle de compliments à mon sujet. Détail important, G. me voussoie, comme si j'étais une grande personne. C'est la première fois que quelqu'un de mon entourage, en dehors des profs du collège, utilise en s'adressant à moi ce « vous » qui flatte instantanément mon ego, en même temps qu'il me place d'emblée sur un pied d'égalité avec lui. Tout d'abord, je n'ose pas répondre. Mais G. n'est pas homme à se décourager pour si peu. Il m'écrit parfois deux fois par jour. Je passe désormais une tête matin et soir chez la gardienne de peur que ma mère ne tombe sur une de ces lettres que je conserve en permanence sur moi, les chérissant en secret, et me gardant bien d'en parler à qui que ce soit. Puis, à force de sollicitations, je finis par prendre mon courage à deux mains. Je rédige à mon tour une réponse prude et farouche, mais une réponse tout de même. Je viens de fêter mes quatorze ans. Il en a bientôt cinquante. Et alors ?

Dès que j'ai mordu à l'hameçon, G. ne perd pas une minute. Il me guette dans la rue, quadrille mon quartier, cherche à provoquer une rencontre impromptue, qui ne tarde pas à se produire. Nous échangeons quelques mots, et je repars transie d'amour. Je m'habitue maintenant à la possibilité de tomber sur lui à tout moment, si bien que sa présence invisible m'accompagne sur le chemin du collège, comme au retour, en allant faire des courses au marché, en me promenant avec mes camarades. Un jour, il me fixe un rendez-vous par lettre. Le téléphone, c'est bien trop dangereux, m'écrit-il, il pourrait tomber sur ma mère.

À Saint-Michel, il m'a demandé de le retrouver devant l'arrêt de la ligne de bus numéro 27. Je suis à l'heure. Fébrile, avec le sentiment de commettre une immense transgression. Je m'étais imaginé que nous irions boire un café quelque part dans le quartier. Pour bavarder, faire connaissance. À peine arrivé, il m'annonce qu'il songeait plutôt m'inviter à prendre le « goûter » chez lui. Il a acheté des pâtisseries délicieuses chez un traiteur hors de prix dont il cite le nom avec gourmandise. Rien que pour moi. L'air de rien, il traverse la rue tout en bavardant, je le suis machinalement, étourdie de paroles, et me retrouve devant l'arrêt de la même ligne, en sens inverse. Le bus arrive, G. m'invite à monter, me dit en souriant de ne pas avoir peur, le ton de sa voix est rassurant. « Il ne vous arrivera rien de mal ! » Mon hésitation semble le décevoir.

Je ne m'étais pas préparée à ça. Incapable de réagir, prise au dépourvu, je ne veux surtout pas avoir l'air d'une idiote. Non, surtout pas, ni d'une gamine qui ne connaît rien à la vie. « Vous ne devriez pas écouter toutes les horreurs qu'on raconte sur moi. Allez, montez ! » Mon hésitation n'a pourtant rien à voir avec le moindre commentaire de mon entourage. On ne m'a *raconté* aucune *horreur* sur lui puisque je n'ai parlé à personne de notre rendez-vous.

Le bus file à toute allure. Tandis que nous longeons le boulevard Saint-Michel, puis le jardin du Luxembourg, G. me sourit, béat, m'envoie des œillades énamourées et complices, me couve du regard. Il fait beau. À peine deux arrêts et nous voici déjà arrivés en bas de chez lui. Ça non plus, je ne l'avais pas prévu. On aurait pu marcher un peu, non ?

La cage d'escalier est étroite, pas d'ascenseur, il faut monter jusqu'au sixième. « Je vis dans une chambre de bonne. Vous imaginiez sans doute que les écrivains sont des messieurs très riches, eh bien, vous voyez, non, la littérature, ça nourrit à peine son homme. Mais je suis très heureux dans cet endroit. Je vis comme un étudiant et ça me convient parfaitement. Le luxe, le confort se concilient rarement avec l'inspiration… »

L'espace est trop mince pour pouvoir monter les six étages côte à côte. De l'extérieur, je suis d'un calme effroyable, mais dans ma poitrine mon cœur cogne comme sur un tambour.

Il a dû deviner que je n'en menais pas large car il passe devant moi, sans doute pour que je ne me sente pas piégée, pour que je puisse croire encore qu'il m'est possible de faire demi-tour. Prendre mes jambes à mon cou, j'y pense un instant, mais tout en grimpant, G. me parle avec entrain, comme un jeune homme, ravi d'inviter pour la première fois dans son studio une fille rencontrée dix minutes plus tôt. Sa démarche est souple, athlétique, pas une fois il ne paraît essoufflé. Une condition physique de sportif.

La porte s'ouvre sur un studio en désordre, avec à son extrémité, une cuisine des plus spartiates, tellement exiguë qu'on peut tout juste y faire entrer une chaise. On y trouve de quoi préparer du thé, mais à peine une poêle pour se faire cuire un œuf. « C'est là que j'écris », déclare-t-il d'un ton solennel. Et en effet, sur une minuscule table, coincée entre l'évier et le frigo, trônent une pile de feuilles blanches et une machine à écrire. La chambre sent l'encens et la poussière. Un rayon de lumière pointe par l'encadrement de la fenêtre, une miniature bouddhiste en bronze est posée sur un guéridon auquel manque un pied, et qu'une pile de livres maintient debout. Un éléphant levant sa trompe, souvenir manifeste d'un voyage en Inde, se désole, perdu à la lisière du parquet et d'un petit tapis persan. Des babouches tunisiennes, des livres, des livres encore, des dizaines de piles de livres, de toutes les hauteurs, couleurs, épaisseurs, largeurs, jonchent le sol… G. me propose de m'asseoir. Un seul endroit permet de se tenir à deux dans cette pièce, le lit.

Assise dans une posture hiératique, les pieds rivés au sol, les paumes à plat sur mes genoux serrés, le dos tendu, je cherche du regard un signe qui m'éclairerait sur la raison de ma présence dans ce lieu. Depuis quelques minutes, les battements de mon cœur se sont encore accélérés, à moins que ce ne soit le temps lui-même qui ait changé de cadence. Je pourrais tout aussi bien me lever et partir. G. ne me fait pas peur. Il ne me forcerait jamais à rester contre mon gré, j'en suis certaine. Je pressens un inéluctable glissement de situation et pour autant, je ne me lève pas, ne parle pas. G. se déplace comme en rêve, je ne le vois pas s'approcher et soudain il est là, assis tout près de moi, ses bras enlaçant mes épaules qui tremblent.

Lors de ce premier après-midi passé chez lui, G. se montre d'une délicatesse exquise. Il m'embrasse longuement, me caresse les épaules et glisse sa main sous mon pull, sans jamais me demander de le retirer, ce que je finis pourtant par faire. Deux adolescents timides flirtant à l'arrière d'une voiture. Bien qu'alanguie, je suis paralysée, incapable du moindre geste, de la moindre audace, je me concentre sur ses lèvres, sa bouche, tenant du bout des doigts son visage penché sur moi. Le temps s'étire, et c'est les joues en feu, les lèvres et le cœur gonflés d'une joie inédite, que je reviens chez moi.

— Tu racontes vraiment n'importe quoi !

— Non, je te jure, c'est vrai. Regarde, il m'a écrit un poème.

Ma mère a pris la feuille que je lui tends avec une grimace de dégoût mêlée d'incrédulité. Un air effaré où pointe même un brin de jalousie. Après tout, lorsqu'elle avait proposé à l'écrivain de le raccompagner chez lui ce soir-là, et qu'il avait accepté, avec tant de suavité dans la voix, elle a très bien pu s'imaginer qu'il n'était pas insensible à ses charmes. Elle découvre avec une violence inouïe, que je suis devenue prématurément une rivale, et ce sentiment l'aveugle tout d'abord. Puis elle se reprend et me jette à la figure ce mot que jamais je n'aurais cru pouvoir être associé à G. :

— Tu n'es pas au courant que c'est un pédophile ?

— Un quoi ? C'est pour ça que tu lui as proposé de le raccompagner en le laissant avec ta fille à l'arrière de ta voiture ? Et puis qu'est-ce que ça veut dire, c'est n'importe quoi, je n'ai pas huit ans !

Du tac au tac, elle menace de m'envoyer en pension. Des hurlements fusent sous les combles. Comment peut-elle me priver de cet amour, le premier, le dernier, l'unique ? Elle s'imagine peut-être qu'après m'avoir enlevé mon père (car bien sûr, maintenant tout est sa faute), je la laisserai faire une seconde fois ? Jamais je n'accepterai d'être séparée de lui. Plutôt mourir.

De nouveau, les lettres se succèdent, plus passionnées que les précédentes, G. me déclare son amour sous toutes les formes, me supplie de revenir le voir dès que possible, impossible de vivre sans moi, non, pas une minute supplémentaire ne vaut la peine d'être vécue si ce n'est dans mes bras. Du jour au lendemain, je me suis changée en déesse.

Le samedi suivant, je prétexte auprès de ma mère des révisions chez une camarade de classe et sonne à la porte de G. Comment résister à ce sourire carnassier, à ces yeux rieurs, à ces mains longues et fines d'aristocrate ?

Quelques minutes plus tard, je suis étendue sur son lit et cela n'a absolument rien à voir avec quoi que ce soit de connu. Ce n'est plus le corps imberbe et frêle de Julien contre le mien, sa peau veloutée d'adolescent, l'odeur âcre de sa transpiration. C'est un corps d'homme. Puissant et rugueux, fraîchement lavé et parfumé.

Notre premier rendez-vous a été consacré à la partie haute de mon corps. Cette fois-ci, intrépide, il entreprend de s'aventurer vers des régions plus intimes. Et pour cela, il faut défaire mes lacets, geste qu'il exécute avec une délectation manifeste, retirer mon jean, ma culotte de coton (je n'ai pas de dessous féminins dignes de ce nom, et rien ne peut davantage plaire à G., de ça je n'ai encore qu'une conscience assez confuse).

D'une voix câline, il se vante alors de son expérience, du savoir-faire avec lequel il est toujours parvenu à ôter leur virginité aux très jeunes filles, sans jamais les faire souffrir, allant jusqu'à affirmer qu'elles en gardent toute leur vie un souvenir ému, si chanceuses d'être tombées sur lui et pas sur un autre, un de ces types brutaux, sans le moindre tact, qui les auraient clouées au matelas sans ménagement, associant à ce moment unique un goût de désillusion éternelle.

Sauf que dans mon cas, impossible de se frayer un passage. Mes cuisses se serrent dans un mouvement réflexe incontrôlable. Je hurle de douleur avant même qu'il m'ait touchée. Pourtant, je ne rêve que d'une chose. Dans un mélange de sentiments bravaches et fleur bleue, j'ai déjà acquiescé intimement à cet horizon inéluctable : G. sera mon premier amant. Et si je suis ici allongée sur son lit, c'est bien pour cette raison. Alors pourquoi mon corps s'y refuse-t-il ? Pourquoi cette peur irrépressible ? G. ne se démonte pas. Sa voix me susurre des mots réconfortants :

— Ce n'est pas grave. En attendant, on peut faire autrement, tu sais.

De même que l'on doit se signer à coups d'eau bénite avant de franchir le seuil d'une église, posséder corps et âme une jeune fille ne se fait pas sans un certain sens du sacré, c'est-à-dire sans un rituel immuable. Une sodomie a ses règles, se prépare avec application, religieusement.

G. me retourne sur le matelas, se met à lécher la moindre parcelle de mon corps, de haut en bas : nuque, épaules, dos, reins, fesses. Quelque chose comme ma présence au monde s'efface. Et tandis que sa langue vorace s'insinue en moi, mon esprit s'envole.

Voilà comment je perds une première partie de ma virginité. *Comme un petit garçon*, me glisse-t-il dans un murmure.

Je suis amoureuse, me sens aimée, comme jamais auparavant. Et cela suffit à gommer toute aspérité, à suspendre tout jugement sur notre relation.

Les premiers temps, après avoir passé un moment dans le lit de G., je suis émue en particulier par deux choses : le voir pisser debout et se raser. Comme si ces gestes entraient pour la première fois dans un univers depuis trop longtemps réduit aux rituels féminins.

Ce que je découvre dans les bras de G., ce domaine de la sexualité adulte jusque-là si impénétrable, est pour moi un nouveau continent. J'explore ce corps d'homme avec l'application d'une disciple privilégiée, j'assimile avec gratitude ses enseignements et me concentre sur les exercices pratiques. J'ai le sentiment d'avoir été élue.

G. m'avoue en effet qu'il a mené jusque-là une vie très dissolue dont témoignent certains de ses livres. À genoux, les yeux embués de larmes, il me promet de rompre avec toutes ses maîtresses, murmure qu'il n'a jamais été aussi heureux de toute sa vie, que notre rencontre est un *miracle*, un véritable cadeau des dieux.

Au début, G. m'emmène dans les musées, parfois au théâtre, m'offre des disques, me conseille des lectures. Combien d'heures passées ensemble à longer les allées du jardin du Luxembourg, main dans la main, à déambuler dans les rues de Paris, indifférents aux regards intrigués, suspicieux, désapprobateurs, parfois même ouvertement haineux, des passants croisés sur notre chemin ?

Je n'ai pas le souvenir que mes parents soient souvent venus me chercher devant mon école lorsque j'étais en âge de les attendre, avec cette délicieuse inquiétude, devant la porte prête à s'ouvrir, qu'apparaisse le visage adoré de l'un ou de l'autre. Ma mère avait toujours travaillé tard. Je rentrais seule de l'étude. Mon père ne connaissait même pas le nom de la rue où j'étais scolarisée.

Désormais, G. est presque tous les jours posté devant la sortie de mon collège. Pas tout à fait devant, à quelques mètres, sur la petite place au bout de la rue, de sorte que j'aperçois tout de suite, derrière une horde d'adolescents survoltés, sa silhouette longiligne vêtue au printemps d'une même saharienne de style colonial, l'hiver d'un manteau qui rappelle ceux des officiers russes de la Seconde Guerre mondiale, long et couvert de boutons dorés.

Été comme hiver, il porte des lunettes de soleil censées protéger son anonymat.

Notre amour est interdit. Réprouvé par les honnêtes gens. Je le sais, car il ne cesse de me le répéter. Je ne peux donc en parler à personne. Il faut faire attention. Mais pourquoi ? Pourquoi puisque je l'aime et qu'il m'aime lui aussi ?

Et ces lunettes, sont-elles vraiment discrètes ?

Après chaque séance amoureuse où G. semble se repaître de mon corps comme un affamé, lorsque nous sommes tous les deux dans le calme de son studio, entourés jusqu'au vertige par des centaines de livres, il me berce dans ses bras comme un nourrisson, la main dans mes cheveux ébouriffés, m'appelle « mon enfant chérie », « ma belle écolière », et me conte doucement la longue histoire de ces amours irrégulières nées entre une très jeune fille et un homme d'âge mûr.

J'ai désormais un professeur particulier entièrement dévoué à mon éducation. L'étendue de sa culture est fascinante, mon admiration n'en est que décuplée, bien que les cours que je reçois en sortant du collège soient toujours très orientés.

— Sais-tu que sous l'Antiquité, l'initiation sexuelle des jeunes personnes par des adultes était non seulement encouragée, mais considérée comme un devoir ? Au XIXᵉ siècle, la petite Virginia n'avait que treize ans lorsqu'Edgar Poe l'a épousée, en as-tu entendu parler ? Quand je pense à tous ces parents bien-pensants qui lisent à leurs enfants *Alice au pays des merveilles* avant de les coucher, sans avoir la moindre idée de qui était Lewis Carroll, ça me donne envie de hurler de rire. Il avait une passion pour la photographie et a réalisé de façon compulsive des centaines de portraits de petites filles, dont celui de la véritable Alice, celle qui lui a inspiré le personnage principal de son chef-d'œuvre, l'amour de sa vie, tu les as déjà vues ?

Parce que l'album se trouve en bonne place sur ses étagères, il me montre aussi les photos érotiques qu'Irina Ionesco prenait de sa fille Eva alors qu'elle n'avait que huit ans, les jambes écartées, des bas noirs jusqu'au haut des cuisses en guise de seuls vêtements, son ravissant visage de poupée fardé comme celui d'une prostituée. (Il omet de me raconter que la garde d'Eva a par la suite été retirée à sa mère et qu'elle s'est retrouvée placée à la DDASS à l'âge de treize ans.)

Une autre fois, il peste contre ces Américains, engoncés dans leur frustration sexuelle, qui ont persécuté ce pauvre Roman Polanski pour l'empêcher de tourner ses films.

— Ce sont des puritains qui confondent tout. La gamine qui prétend avoir été violée s'est fait manipuler par des jaloux. Elle était consentante, ça va de soi. Et David Hamilton, tu crois que tous ses modèles se sont offertes à l'œil de son appareil photo sans avoir autre chose en tête ? Il faut vraiment être naïf pour y croire…

La litanie est sans fin. Devant tant d'exemples aussi édifiants, comment ne pas s'incliner ? Une fille de quatorze ans a le droit et la liberté d'aimer qui elle veut. J'ai bien retenu la leçon. En prime, ma vie est devenue celle d'une égérie.

Au début, les circonstances sont loin d'enchanter ma mère. Passé la surprise, le choc, elle consulte ses amis, prend conseil autour d'elle. Il faut croire que personne ne se montre particulièrement inquiet. Peu à peu, devant ma détermination, elle finit par accepter les faits tels qu'ils se présentent. Peut-être me croit-elle plus forte, plus mûre que je ne le suis. Peut-être est-elle trop seule pour réagir autrement. Peut-être aussi lui faudrait-il un homme à ses côtés, un père pour sa fille, qui s'érige contre cette anomalie, cette aberration, cette... chose. Quelqu'un qui prenne la situation en mains.

Il faudrait aussi un environnement culturel et une époque moins complaisants.

Dix ans avant ma rencontre avec G., vers la fin des années soixante-dix, un grand nombre de journaux et d'intellectuels de gauche ont en effet pris publiquement la défense d'adultes accusés d'avoir eu des relations « coupables » avec des adolescents. En

1977, une lettre ouverte en faveur de la dépénalisation des relations sexuelles entre mineurs et adultes, intitulée « À propos d'un procès », est publiée dans *Le Monde*, signée et soutenue par d'éminents intellectuels, psychanalystes et philosophes de renom, écrivains au sommet de leur gloire, de gauche pour la plupart. On y trouve entre autres les noms de Roland Barthes, Gilles Deleuze, Simone de Beauvoir, Jean-Paul Sartre, André Glucksmann, Louis Aragon... Ce texte s'élève contre l'incarcération de trois hommes en attente de leur procès pour avoir eu (et photographié) des relations sexuelles avec des mineurs de treize et quatorze ans. « *Une si longue détention préventive pour instruire une simple affaire de "mœurs", où les enfants n'ont pas été victimes de la moindre violence, mais, au contraire, ont précisé aux juges d'instruction qu'ils étaient consentants (quoique la justice leur dénie actuellement tout droit au consentement) nous paraît déjà scandaleuse* », peut-on y lire notamment.

La pétition est également signée G.M. Il faudra attendre 2013 pour qu'il révèle en avoir été l'initiateur (il en est même le rédacteur), et n'avoir essuyé à l'époque que très peu de refus lors de sa quête de signatures (dont celles, notables, de Marguerite Duras, Hélène Cixous et... Michel Foucault, qui n'était pourtant pas le dernier à dénoncer toutes les formes de répression). La même année, une autre pétition est publiée dans *Le Monde*, sous le titre « Un appel pour la révision du code pénal

63

à propos des relations mineurs-adultes », ralliant plus de suffrages encore (s'ajoutent aux noms précédents ceux de Françoise Dolto, Louis Althusser, Jacques Derrida, pour ne citer qu'eux, mais la lettre ouverte compte quatre-vingts signataires, qui sont parmi les personnalités intellectuelles les plus en vue du moment). Une autre pétition paraît cette fois dans *Libération* en 1979, en soutien à un certain Gérard R., accusé de vivre avec des fillettes de six à douze ans, signée elle aussi par d'importantes personnalités du monde littéraire.

Trente ans plus tard, tous les journaux ayant accepté de relayer ces tribunes plus que discutables publieront les uns après les autres leur mea culpa. Un média n'est jamais que le reflet de son époque, plaideront-ils.

Pourquoi tous ces intellectuels de gauche ont-ils défendu avec tant d'ardeur des positions qui semblent aujourd'hui si choquantes ? Notamment l'assouplissement du code pénal concernant les relations sexuelles entre adultes et mineurs, ainsi que l'abolition de la majorité sexuelle ?

C'est que, dans les années soixante-dix, au nom de la libération des mœurs et de la révolution sexuelle, on se doit de défendre la libre jouissance de *tous* les corps. Empêcher la sexualité juvénile relève donc de l'oppression sociale et cloisonner la sexualité entre individus de même classe d'âge constituerait une forme de ségrégation. Lutter contre l'emprisonnement des désirs, contre toutes les répressions, tels sont les mots d'ordre de cette période, sans que personne y voie à redire, sinon les culs-bénits et quelques tribunaux réactionnaires.

Une dérive, et un aveuglement dont presque tous les signataires de ces pétitions s'excuseront plus tard.

Dans le courant des années quatre-vingt, le milieu dans lequel je grandis est encore empreint de cette vision du monde. Lorsqu'elle était adolescente, m'a confié ma mère, le corps et ses désirs étaient encore tabous et jamais ses parents ne lui ont parlé de sexualité. Elle avait tout juste dix-huit ans en 68, a dû se libérer une première fois d'une éducation trop corsetée, puis de l'emprise d'un mari invivable épousé trop jeune. Comme les héroïnes des films de Godard ou de Sautet, elle aspire maintenant plus que tout à *vivre sa vie*. « Il est interdit d'interdire » est sans doute resté pour elle un mantra. On n'échappe pas si facilement à l'air du temps.

Dans ce contexte, ma mère a donc fini par s'accommoder de la présence de G. dans nos vies. Nous donner son absolution est une folie. Je crois qu'elle le sait au fond d'elle-même. Sait-elle aussi que cela risque de lui être durement reproché un jour, en premier lieu par sa propre fille ? Mon obstination est-elle si forte qu'elle ne puisse s'y opposer ? Quoi qu'il en soit, son intervention se borne à passer un pacte avec G. Il doit prêter serment de ne jamais me faire souffrir. C'est lui qui me le raconte un jour. J'imagine la scène, les yeux dans les yeux, solennelle. Dites : « Je le jure ! »

Parfois, elle l'invite à dîner dans notre petit appartement sous les combles. À table, tous les trois, autour d'un gigot-haricots verts, on dirait presque une gentille petite famille, papa-maman enfin réunis, avec moi, au milieu, radieuse, la sainte trinité, ensemble, à nouveau.

Aussi choquante, aussi aberrante, que puisse paraître cette idée, G. est peut-être pour elle aussi, de façon inconsciente, le substitut paternel idéal, le père qu'elle n'a pas su m'offrir.

Et puis, cette situation extravagante n'est pas complètement pour lui déplaire. Elle a même quelque chose de valorisant. Dans notre environnement bohème d'artistes et d'intellos, les écarts avec la morale sont accueillis avec tolérance, voire avec une certaine admiration. Et G. est un écrivain célèbre, ce qui est en fin de compte plutôt flatteur.

Dans un tout autre milieu, où les artistes n'exerceraient pas la même fascination, les choses se seraient sans doute passées autrement. Le monsieur aurait été menacé d'être envoyé en prison. La fille serait allée voir un psychologue, aurait peut-être évoqué le souvenir enfoui d'un élastique qui claque sur une cuisse ambrée dans un décor oriental, et l'affaire aurait été réglée. Point final.

— Tes grands-parents ne doivent jamais savoir, ma chérie. Ils ne pourraient pas comprendre, me glisse un jour ma mère, au détour d'une conversation.

La douleur, sournoise, se présente un soir, à l'articulation du pouce gauche. Je m'imagine un coup reçu à cet endroit de la main sans en avoir pris conscience, je cherche quelle activité manuelle intense j'aurais bien pu pratiquer au cours de la journée, mais rien ne me vient à l'esprit. Deux heures plus tard, l'inflammation s'est transformée en une brûlure presque insoutenable, irradiant toutes les articulations des doigts. Comment une si petite zone du corps peut-elle faire souffrir autant ? Inquiète, ma mère appelle SOS Médecins. On me fait une prise de sang et l'analyse révèle un taux de globules blancs anormalement élevés. Je pars aux urgences. Le temps d'arriver, la douleur s'est étendue aux articulations des autres membres. Lorsqu'on me trouve un lit, je ne peux déjà plus bouger. Je suis littéralement paralysée. Un médecin diagnostique un rhumatisme articulaire aigu, dû à une infection par un streptocoque.

Je dois rester hospitalisée quelques semaines qui, dans mon souvenir, me paraîtront interminables, mais la maladie a tendance à distordre la perception du temps.

Durant ce séjour, trois visites inopinées me laissent un souvenir respectivement amusé, gêné et dévastateur.

La première intervient quelques jours à peine après mon hospitalisation. Ma mère (à moins que ce ne soit une de ses amies, animée des meilleures intentions ?) a dépêché auprès de la malade un psychanalyste plein d'une compassion palpable dès le premier regard qu'il m'adresse en entrant dans la pièce. Je l'ai déjà croisé deux ou trois fois dans un des dîners déjà décrits.

— V., je suis venu bavarder un peu avec toi, je pense que ça pourrait te faire du bien.

— Qu'est-ce que vous voulez dire par là ?

— Je crois que ta maladie est l'expression d'autre chose. D'un malaise plus profond, tu vois ? Comment ça se passe, dans ton collège ? Tu t'y sens bien ?

— Non, c'est l'enfer, je n'y vais presque plus jamais, je sèche tous les cours que je n'aime pas et ça rend dingue ma mère. J'imite sa signature pour faire de faux mots d'excuse, puis je vais fumer au café pendant des heures. Une fois, j'ai même inventé l'enterrement de mon grand-père, ça elle n'a pas digéré ! Faut dire que là, j'avais exagéré, non ?

— Cette maladie est… peut-être… liée aussi à ta… situation actuelle.

Et voilà, ça y est, on oublie les pincettes et on sort les gros sabots. Qu'est-ce qu'il croit, que c'est G. qui m'a refilé ce streptocoque ?

— Quelle situation ? De quoi vous parlez ?

— On peut commencer par ce que tu ressentais avant de tomber malade. Tu veux bien essayer de parler avec moi ? Tu es suffisamment intelligente pour savoir que la parole, ça aide à aller mieux, non ? Qu'en dis-tu ?

Évidemment, dès que je commence à sentir un intérêt sincère pour ma petite personne, et qui plus est de la part d'un représentant du sexe masculin, mes défenses s'effondrent.

— D'accord.

— Pourquoi vas-tu si peu en cours ? Tu crois que c'est seulement à cause des matières qui t'ennuient ? Moi, je pense qu'il y a autre chose.

— J'ai... heu... comment dire, *peur* des gens. C'est ridicule, non ?

— Pas du tout. Beaucoup de gens sont comme toi, ont des crises d'angoisse ou de panique dans certaines situations. L'école, le collège, ça peut être très anxiogène, surtout vu les circonstances. Et ces douleurs, où se manifestent-elles, en ce moment ?

— Aux genoux, là, c'est vraiment affreux comme ça me brûle de l'intérieur.

— Oui, c'est ce que ta mère m'a dit, effectivement. C'est intéressant. Très intéressant...

— Ah bon, c'est intéressant, les genoux ?

— Qu'est-ce que tu entends dans le mot « genoux », hein ? Si tu dé-com-poses le mot « genoux » ? Il y a *je* et il y a *nous*, et ton problème, c'est bien un problème de « rhumatismes articulaires », donc... tu serais d'accord avec moi pour dire que tu as un problème d'« articulation » entre le « je » et le « nous », n'est-ce pas ?

À ces mots, le visage du psychanalyste est traversé par une expression de satisfaction intense, de pure béatitude, pourrait-on dire. Jusque-là, mes genoux n'avaient provoqué un tel effet que sur G. Je reste sans voix.

— Parfois les souffrances psychiques, quand elles restent silencieuses, s'expriment à travers le corps en provoquant des douleurs physiques. Réfléchis un peu à tout ça. Je ne vais pas te fatiguer davantage. D'ailleurs, tu dois te reposer. On va en rester là pour aujourd'hui.

Mis à part, peut-être, une vague allusion au début de notre conversation, le psychanalyste n'aura pas dit un mot sur ma relation avec G. Moi qui pensais qu'il n'était qu'un père-la-morale, comme G. aime appeler ceux qui d'un regard nous jettent à la figure leur désapprobation... Je lui lance alors, en forme de provocation :

— Et sinon, vous n'avez rien d'autre à me dire, sur ma *situation* ?

D'un ton cinglant, cette fois-ci, il répond :

— Je pourrais ajouter quelque chose, mais ça ne va pas te plaire : les rhumatismes, ce n'est pas vraiment de ton âge.

Quelques jours plus tard, l'amant de ma mère débarque lui aussi sans crier gare. Le moustachu aux élégants nœuds papillons ne m'avait jusque-là témoigné aucune marque d'affection particulière. Et maintenant, le voilà seul, portant sur le visage un air grave et désolé. Que me veut-il ? Serais-je à ce point aux portes de la mort – et on me l'aurait caché – pour susciter tant de commisération ? Il s'installe sans autorisation sur une chaise à droite de mon lit, et dans un geste de tendresse que je ne lui connaissais pas, me prend la main et la tient dans la sienne, une grosse poigne ample et tiède, légèrement moite.

— Comment tu te sens, ma V. ?

— Bien, ça va, enfin, ça dépend des jours…

— Oui, ta mère m'a dit que tu avais très mal. Tu es courageuse, tu sais. Mais ici, c'est l'hôpital des enfants malades, on va te soigner comme il faut, c'est les meilleurs !

— C'est gentil d'être venu. (En réalité, je n'ai pas la moindre idée de ce qu'il peut bien faire là.)

— C'est normal. Je sais que j'ai pas mal accaparé ta mère ces dernières années et tu ne dois pas forcément me voir comme un ami. Alors… comment dire, j'aimerais… enfin, ton père étant totalement démissionnaire, je me sens un peu coupable de ne

pas m'être davantage impliqué dans ta vie. J'aimerais y jouer un rôle, mais je ne sais pas comment
m'y prendre.

Je souris, un peu éberluée, au fond, je le trouve
touchant. Puis il lâche enfin ma main, et balayant
d'un regard affolé les murs blancs de la chambre, il
cherche l'inspiration qui lui manque pour continuer
sa tirade et trouve finalement une aide inespérée dans
la couverture d'un livre posé sur ma table de chevet.

— Tu aimes Proust ? Ça alors, c'est formidable,
tu sais que c'est mon auteur préféré ?

G. m'a offert le premier tome de la *Recherche*. Il
n'y a rien de tel que la maladie pour comprendre
l'œuvre de ce pauvre Marcel, m'a-t-il expliqué. Il
écrivait couché sur son lit de souffrance, entre deux
quintes de toux…

— Je commence seulement… oui, j'aime bien.
Bon, les duchesses, tout ça, c'est pas trop ma tasse
de thé, mais ce qu'il écrit sur la passion amoureuse,
ça me touche beaucoup.

— Oui, exactement ! La passion amoureuse !
C'est ça ! Bon, justement, je voulais te dire aussi,
avec ta mère, ce n'est plus comme avant. Je pense
qu'on va se séparer.

— Ah bon, parce que vous étiez ensemble ? Première nouvelle !

— Oui, enfin tu vois ce que je veux dire… Mais
j'aimerais qu'on reste proches, toi et moi. On pourrait déjeuner de temps en temps.

Puis il consulte sa montre (gousset) et décrète qu'il doit malheureusement partir, se lève, et au moment de me faire la bise, dans un mouvement incontrôlé, sa tête dévie et sa grosse bouche purpurine à la moustache rugueuse vient s'aplatir sur mes lèvres. Rouge pivoine, il se redresse, ne sachant plus où se mettre, et disparaît comme si un spectre l'avait chassé.

Les actes manqués n'engagent que ceux qui les relèvent, dirait mon nouvel ami psychanalyste.

Comment savoir si ce geste était involontaire? La proposition de l'amant de ma mère m'avait tout d'abord paru honnête, mais avec ce baiser en forme de glissade, il a jeté le soupçon sur ses véritables mobiles.

Le surlendemain, c'est une autre visite impromptue qui me prend une nouvelle fois de court. Décidément, impossible d'être tranquille dans cet hôpital, on entre ici comme dans un moulin. Un visage que j'essayais d'oublier depuis trois ans a surgi dans l'encadrement de la porte de ma chambre. Celui, toujours aussi ironique, et qui ne peut me laisser indifférente, de mon père. Les douleurs articulaires m'ont empêchée de trouver le sommeil durant toute une partie de la nuit. Je suis épuisée et tendue. Non mais qu'est-ce qu'il croit, qu'il n'a qu'à rappliquer pour que j'oublie tout, d'un coup de baguette magique? Son silence depuis ces dernières années, les heures en pleurs passées au téléphone à essayer de le joindre tandis que sa nouvelle femme ou sa secrétaire me répètent qu'il n'est pas joignable, très occupé, en voyage, que sais-je encore ?

Non, vraiment, la rupture est consommée, je n'ai plus rien à lui dire.

— Qu'est-ce que tu fais là ? Tu te souviens de ta fille, tout à coup ?

— Ta mère m'a appelé parce qu'elle est inquiète pour toi. Il paraît que tu souffres beaucoup et qu'on ne sait pas vraiment comment tu as attrapé ce streptocoque. J'ai pensé que tu serais contente de me voir.

Si je n'étais pas paralysée, je le mettrais bien dehors manu militari.

— Qu'est-ce que ça peut te faire, que je sois malade ?

— Je pensais que ça te ferait plaisir, c'est tout. Je suis quand même ton père.

— Je n'ai plus besoin de toi, d'accord ?

Les mots ont fusé malgré moi.

Et puis soudain, entraînée dans mon élan :

— J'ai rencontré quelqu'un.

— Tu as rencontré quelqu'un, qu'est-ce que ça veut dire ? Que tu es amoureuse ?

— Exactement ! Ça veut dire que tu peux repartir et continuer ta petite vie sans moi en toute tranquillité puisque maintenant, il y a quelqu'un qui veille sur moi !

— Ah bon, et tu ne trouves pas ça un peu jeune, quatorze ans, pour avoir une relation amoureuse ? C'est qui ce type ?

— Ah, eh bien, là, tu vas t'évanouir, parce que ce type, c'est un écrivain, il est génial et le plus incroyable, c'est qu'il m'aime. Il s'appelle G.M. Ça te dit peut-être quelque chose ?

— Quoi ? Ce salaud ? Tu te fous de moi, là ?

Touché, et en plein cœur. J'affiche mon sourire le plus satisfait. Mais la réaction est cataclysmique. Pris d'une rage incontrôlable, il s'empare d'une chaise en métal, la soulève puis la projette contre le mur. D'un revers de main, il balaie quelques ustensiles médicaux posés sur une table d'appoint et se met à vociférer, débitant une bordée d'injures, me traitant de petite putain, de traînée, tempête que ça ne l'étonne pas, ce que je suis devenue, avec la mère que j'ai, impossible de lui faire confiance, une pute, elle aussi, crache tout son dégoût envers G., ce monstre, cette ordure et jure qu'il le dénoncera à la police, à peine sorti de l'hôpital.

Alertée par le bruit, une infirmière fait son entrée dans la chambre et le prie sans sourciller de bien vouloir se calmer ou de quitter les lieux sur-le-champ.

Mon père attrape son manteau (en cachemire) et disparaît aussitôt. Les murs tremblent encore de ses hurlements. Je reste prostrée, en apparence sous le choc, mais pas mécontente de mon effet.

Si cette déclaration n'est pas ce que les psychanalystes appellent un « appel à l'aide », alors je ne sais pas ce que c'est. Mais inutile de dire que mon père ne portera jamais plainte contre G. et que je n'entendrai plus parler de lui. Cette révélation fournit au contraire un alibi parfait à son incurie naturelle.

Les semaines s'étirent en longueur dans ce maudit hôpital où G. me rend visite presque tous les jours sans que personne s'en offusque. On finit heureusement par trouver un remède à mes inflammations articulaires, mais l'épisode qui précède ma sortie mérite d'être noté.

J'ai été incitée à profiter de ma présence dans ce haut lieu de la médecine pédiatrique pour bénéficier d'une consultation gynécologique. Le médecin, un homme plein de sollicitude, m'interroge sur ma sexualité et dans un surprenant accès de confiance (toujours cette sensiblerie face au charme d'une belle voix grave, et d'une marque d'intérêt sincère), je finis par avouer que je prends depuis peu la pilule – ayant rencontré un garçon plein de qualités –, mais que je suis affligée d'une incapacité complète à m'offrir à lui, paniquée par la douleur de la défloration. (Cela fait des semaines, en effet, que toutes les tentatives de G. pour venir à bout de mes réticences sont restées vaines. Ça n'a pas l'air de le gêner beaucoup, mes fesses lui suffisent amplement.) Le docteur lève un sourcil, un peu surpris, puis déclare que j'ai en effet l'air d'une jeune fille très en avance sur son âge et qu'il est tout disposé à m'aider. Après m'avoir examinée, il décrète tout joyeux que je suis en effet la « Vierge incarnée » car jamais il n'a vu un hymen aussi intact. Avec dévouement, il me propose dans la foulée une légère incision sous anesthésie locale, qui me permettra d'accéder enfin aux joies du sexe.

De toute évidence, les informations ne circulent pas très bien entre les différents services de l'hôpital et je veux croire que ce médecin n'a pas la moindre idée de ce qu'il est en train de faire : aider l'homme qui se rend quotidiennement à mon chevet à jouir sans entrave de tous les orifices de mon corps.

Je ne sais si on peut dans ce cas parler de viol médical ou d'acte barbare. Mais quoi qu'il en soit, c'est bien sous le coup – habile et indolore – d'un bistouri en inox, que je deviens enfin une femme.

III.

L'emprise

« Ce qui me captive, c'est moins un sexe
déterminé que l'extrême jeunesse, celle qui
s'étend de la dixième à la seizième année et qui
me semble être – bien plus que ce qu'on entend
d'ordinaire par cette formule – le véritable
troisième sexe. »

G.M., *Les Moins de seize ans*

Il existe de nombreuses manières de ravir une
personne à elle-même. Certaines semblent au départ
bien innocentes.

G. entreprend un jour de m'aider à rédiger une
dissertation. Mes notes étant généralement très
bonnes, surtout en français, je ne ressens pas la
nécessité d'évoquer avec lui mon travail scolaire.
Mais, têtu comme une bourrique, et de joyeuse
humeur cet après-midi-là, il a déjà ouvert sans mon
accord mon cahier de textes à la page du lendemain.

— Dis donc, ta dissertation, tu l'as faite ? Je pourrais t'aider, tu sais. Tu t'y prends tard. Hum, hum, voyons voir : « Sujet d'invention : racontez un de vos exploits. »

— Non, t'inquiète, j'y ai déjà réfléchi, je la ferai tout à l'heure.

— Mais pourquoi ? Tu ne veux pas que je te donne un petit coup de main ? Ça ira plus vite, et plus vite tu auras fini, plus vite...

Sa main s'est glissée sous mon chemisier et caresse doucement mon sein gauche.

— Arrête, tu es vraiment un obsédé !

— Eh bien, moi, figure-toi que j'ai accompli un véritable exploit quand j'avais ton âge ! Tu sais que j'ai été champion d'équitation ? Parfaitement ! Et un jour...

— Ça ne m'intéresse pas ! C'est *ma* dissertation !

G. s'est renfrogné, puis calé contre les oreillers au fond du lit.

— Très bien, comme tu voudras. Je vais lire un peu alors, puisque *mon* adolescence ne t'intéresse pas...

Contrite, je me penche sur lui pour lui donner un baiser en guise d'excuse.

— Bien sûr que ta vie m'intéresse, tout m'intéresse chez toi, tu sais bien...

G. s'est redressé d'un bond.

— C'est vrai, tu veux bien que je te raconte ? Et on l'écrit en même temps ?

— Mais tu es infernal ! On dirait un môme ! De toute façon, ma prof se rendra compte tout de suite que ce n'est pas moi qui l'ai écrite, cette dissert'.

— Non, on passera tout au féminin, et on utilisera tes mots à toi, elle n'y verra que du feu.

Alors, penché sur la double feuille à grands carreaux bleus traversés d'un mince filet rouge, je commence à écrire, sous la dictée de G., de mon écriture fine et appliquée, studieuse comme toujours, l'histoire d'une jeune fille qui est parvenue, lors d'un parcours extrêmement périlleux, à sauter dix obstacles en quelques minutes sans jamais renverser ni même effleurer aucune des barres, altière sur sa monture de compétition, acclamée par une foule de spectateurs transis devant son adresse, l'élégance et la précision de ses mouvements – découvrant par la même occasion tout un jargon qui m'est inconnu et dont je dois lui demander le sens au fur et à mesure, et ce, alors que je ne suis montée à cheval qu'une seule fois dans ma courte vie et me suis retrouvée illico chez le médecin, couverte d'eczéma, toussotant, pleurant à cause de l'œdème qui avait fait doubler de volume mon visage cramoisi.

Le lendemain, je remets, honteuse, ma dissertation entre les mains de notre professeure de français. La semaine suivante, en rendant les copies, elle s'exclame (crédule ou pas, je ne le saurai jamais) : « Vous vous êtes surpassée, cette semaine, V. ! 19/20, il n'y a rien à dire, c'est la meilleure note de la classe. Alors, écoutez-moi bien, les autres, je vais faire circuler le travail de votre camarade et je vous demande à tous de le lire avec attention. Et prenez-en de la graine ! J'espère que ça ne vous embête pas, V., d'autant que vos amis apprendront par la même occasion quelle cavalière hors pair vous faites ! »

La dépossession commençait comme ça, entre autres choses.

Par la suite, jamais G. ne s'intéressera à mon journal, ne m'encouragera à écrire, ne m'incitera à trouver ma voie.

L'écrivain, c'est lui.

Dans le cercle très restreint de mes amis, les réactions vis-à-vis de G. sont déroutantes. Les garçons éprouvent à son égard un rejet viscéral, ce qui arrange bien G., car il n'a pas la moindre envie de faire leur connaissance. Les garçons, il les préfère imberbes, douze ans, maximum, comme j'en aurai bientôt la révélation. Au-delà, ce ne sont plus des objets de plaisir, mais des rivaux.

À l'inverse, les filles ne rêvent que de le rencontrer. L'une d'entre elles me demande un jour si elle peut lui faire lire une nouvelle qu'elle vient d'écrire. Un regard de « professionnel », ça n'a pas de prix. Les adolescentes de mon temps sont bien plus délurées que leurs parents ne l'imaginent. Constat qui ne peut qu'enchanter G.

Un jour où j'arrive en retard au collège, comme à mon habitude, le cours de chorale a commencé, tout le monde debout chante à l'unisson. Un petit morceau de papier, plié en quatre, atterrit sur mon pupitre, devant ma trousse. Je le déplie et lis : « T'es cocue. » Deux têtes hilares miment, les doigts dressés sur le haut du crâne, deux cornes qui s'agitent. Le cours terminé, au moment où tous les élèves s'engouffrent par la porte de sortie, j'essaie de fuir, mais l'un des plaisantins se colle contre moi et me chuchote à l'oreille : « J'ai vu ton vieux mec dans un bus, en train d'embrasser une autre fille. » Je tressaille, tente de ne rien laisser paraître. Le garçon termine en me jetant à la figure : « Mon père m'a dit que c'était un salaud de *pédophile*. » Ce mot, bien sûr, je l'ai déjà entendu, sans jamais lui prêter crédit. Pour la première fois, il me transperce. D'abord parce qu'il désigne l'homme que j'aime et fait de lui un criminel. Et parce qu'au ton de la voix du garçon, au mépris qui s'en dégage, je devine qu'il m'a rangée d'office, non pas dans le camp des victimes, mais dans celui des complices.

G. s'indigne quand je lui rapporte que certaines personnes de mon entourage le traitent de « professionnel du sexe ». Cette expression me trouble. Son amour est pour moi d'une sincérité au-dessus de tout soupçon. Peu à peu, j'ai commencé à lire certains de ses livres. Ceux qu'il m'a recommandés. Les plus sages, ce dictionnaire philosophique qui vient de paraître, quelques romans, pas tous, il m'a déconseillé d'ouvrir les plus sulfureux. Avec une force de conviction digne des meilleurs politiciens, la main sur le cœur, il jure que ces écrits ne correspondent plus à l'homme qu'il est devenu aujourd'hui, grâce à moi. Et puis, par-dessus tout, il craint que certaines pages ne me choquent. Il prend alors son petit air d'agneau innocent.

J'obéis longtemps à l'interdiction. Deux de ces ouvrages trônent pourtant sur une étagère, à côté du lit. Leurs titres me narguent chaque fois que mes yeux tombent sur l'un d'eux. Mais, telle l'épouse de

Barbe Bleue, j'ai promis de tenir parole. Sans doute parce que je n'ai pas l'ombre d'une sœur pour me tirer d'un mauvais pas si jamais l'idée de transgresser l'interdit venait à me traverser l'esprit.

Lorsqu'à son sujet les pires accusations parviennent à mes oreilles, une infinie naïveté me pousse à croire que la fiction inventée par G. le caricature, que ses livres sont une exagération grimaçante de lui-même, qu'il s'y avilit et s'y enlaidit par provocation, comme avec un personnage de roman dont on force le trait. Version moderne du portrait de Dorian Gray, son œuvre serait le réceptacle de tous ses défauts, lui permettant de revenir à la vie ressourcé, vierge, lisse et pur.

Et comment pourrait-il être mauvais, puisqu'il est celui que j'aime ? Grâce à lui, je ne suis plus la petite fille seule qui attend son papa au restaurant. Grâce à lui, j'existe enfin.

Le manque, le manque d'amour comme une soif qui boit tout, une soif de junkie qui ne regarde pas à la qualité du produit qu'on lui fournit et s'injecte sa dose létale avec la certitude de se faire du bien. Avec soulagement, reconnaissance et béatitude.

Dès le début de notre relation, nous avons correspondu par lettres, comme aux temps des *Liaisons dangereuses*, me suis-je dit avec ingénuité. G. m'a tout de suite incitée à utiliser ce mode de communication, sans doute parce qu'il est écrivain, en premier lieu, mais par sécurité, aussi, bien sûr, pour protéger notre amour des oreilles et des regards indiscrets. Je n'y ai pas vu d'inconvénient, je suis plus à l'aise à l'écrit qu'à l'oral, c'est un moyen d'expression naturel pour moi, si réservée avec mes camarades de classe, incapable de parler en public, de faire un exposé, inapte à toute activité théâtrale ou artistique exposant mon corps au regard des autres. Internet et le portable n'existent pas encore. Quant au téléphone, vulgaire objet dénué de toute poésie, il n'inspire que mépris à G. J'ai, soigneusement entourée d'un ruban dans une vieille boîte en carton, une pile de déclarations d'amour flamboyantes qu'il m'envoie dès qu'il est absent ou que nous ne nous voyons pas durant plusieurs jours. Je sais qu'il conserve aussi précieusement les miennes. Mais, en me plongeant dans certains de ses livres (pas encore les plus scabreux d'entre eux), je m'aperçois que je suis très loin d'avoir l'exclusivité de ces épanchements épistolaires.

Deux de ses livres en particulier racontent ses amours tumultueuses avec une ribambelle de jeunes filles dont G. semble incapable de refuser les avances. Ces maîtresses sont toutes très exigeantes, et assez vite, ne sachant plus comment s'en dépêtrer, il jongle de façon acrobatique entre des mensonges de plus en plus éhontés pour enchaîner dans une même journée, deux, trois, parfois quatre rendez-vous amoureux.

Non seulement G. n'hésite pas à reproduire dans ses livres les lettres de ses conquêtes, mais toutes se ressemblent étrangement. Par leur style, leur exaltation, et même par leur vocabulaire, elles semblent constituer un même corpus s'étalant sur des années, où s'entendrait la voix lointaine d'une jeune fille idéale, composée de toutes les autres. Chacune témoigne d'un amour aussi céleste que celui d'Héloïse et Abélard, aussi charnel que celui de Valmont et Tourvel. On croirait lire la prose naïve et désuète d'amoureuses d'un autre siècle. Ce ne sont pas les mots de gamines de notre âge, ce sont les termes universels et atemporels de la littérature épistolaire amoureuse. G. nous les souffle en silence, les insuffle dans notre langue même. Nous dépossède de nos propres mots.

Les miennes ne s'en distinguent pas. Toutes les jeunes filles un peu « littéraires » écrivent-elles de la même manière entre quatorze et dix-huit ans ? Ou bien ai-je été moi aussi influencée par le style très uniforme de ces lettres d'amour après en avoir lu quelques-unes dans les livres de G. ? Je penche plutôt pour l'idée d'une sorte de « cahier des charges » implicite auquel je me serais conformée d'instinct.

Avec le recul, je m'en rends bien compte, il s'agit d'un jeu de dupes : reproduire de livre en livre, avec un même fétichisme, cette littérature de jeunes filles en fleurs permet à G. d'asseoir son image de séducteur. Ces lettres sont aussi, de façon plus pernicieuse, le gage qu'il n'est pas le monstre qu'on décrit. Toutes ces déclarations d'amour sont la preuve tangible qu'il est aimé, et mieux encore, qu'il *sait*, lui aussi, aimer. C'est un procédé hypocrite qui ne trompe pas seulement ses jeunes maîtresses, mais aussi ses lecteurs. J'ai fini par percer à jour la fonction de ces dizaines de lettres qu'il m'écrivait de façon frénétique dès notre toute première rencontre. Parce que chez G. l'amoureux des adolescents se double de l'écrivain, l'autorité, l'emprise psychologique dont il jouit suffisent à conduire sa nymphette du moment à affirmer par écrit qu'elle est comblée. Une lettre laisse des traces, on se doit d'y répondre, et quand celle-ci est d'un lyrisme enflammé, il faut se montrer à la hauteur. Par cette injonction muette, l'adolescente se donne alors pour mission de rassurer G. sur tout le plaisir qu'il lui donne, de sorte qu'en cas de descente de police, son consentement ne fasse aucun doute. Bien sûr, qu'il est un artiste passé maître dans l'exécution de la moindre caresse. Les sommets inégalés qu'il nous fait atteindre dans l'orgasme en sont la preuve !

De la part de jeunes filles arrivées vierges dans le lit de G., sans le moindre point de comparaison, de telles déclarations sont, en vérité, assez cocasses.

Tant pis pour les fervents lecteurs de son journal qui s'y seraient laissé prendre.

Nécessité financière faisant loi, G. publie chacun de ses livres avec une précision métronomique, au rythme d'un par an. Depuis quelques semaines, il a entrepris d'écrire sur nous, sur notre histoire, sur ce qu'il appelle « sa rédemption » : un roman inspiré de notre rencontre qui sera, dit-il, le grand témoin de cet amour « solaire », de cette « réforme » de son existence dissipée pour les beaux yeux d'une jeune fille de quatorze ans. Quel sujet romantique ! Dom Juan guéri de sa frénésie sexuelle, décidé à ne plus se laisser dominer par ses pulsions, jurant qu'il est un autre homme, que la grâce est tombée sur lui en même temps que la flèche de Cupidon.

Heureux, fébrile et concentré, il met en forme sur sa machine à écrire les notes prises dans un carnet noir de moleskine. Le même que celui d'Hemingway, m'apprend-il. La lecture des volumes de son journal intime et littéraire m'est toujours rigoureusement interdite. Mais depuis que G. a commencé à écrire ce roman, le réel change de camp : de muse, je me transforme peu à peu en personnage de fiction.

G. affiche un air grave et la mine sombre, ce qui ne lui ressemble pas. On s'est retrouvés dans un café où nous avons nos habitudes, face au jardin du Luxembourg. Quand je lui demande ce qui le préoccupe, il hésite un moment avant de m'avouer la vérité. La Brigade des mineurs l'a convoqué dans la matinée, après avoir reçu une lettre de dénonciation anonyme le concernant. Nous ne sommes donc pas les seuls à être sensibles au charme de l'épistolaire.

G. a passé l'après-midi à cacher toutes mes lettres, mes photos (et peut-être d'autres affaires aussi compromettantes) dans un coffre, chez un notaire ou un avocat. Le rendez-vous est fixé la semaine qui vient. Il s'agit de nous, de moi, forcément. La loi fixe la majorité sexuelle à quinze ans. Et je suis loin de les avoir atteints. La situation est grave. Il faut nous préparer à tous les scénarios. L'époque ne serait-elle plus aussi complaisante ?

Le jeudi suivant, ma mère attend le ventre noué des nouvelles de cette entrevue. Elle a conscience que sa responsabilité est en jeu. Pour avoir accepté de couvrir cette relation entre sa fille et G., elle risque, elle aussi, une condamnation. Elle pourrait même perdre ma garde et je me retrouverais placée jusqu'à ma majorité dans une famille d'accueil.

Quand la sonnerie du téléphone retentit, elle se jette dessus avec nervosité. Son visage se détend quelques secondes plus tard. « G. nous rejoint, il sera là dans une dizaine de minutes, il avait une bonne voix, je crois que ça s'est bien passé », dit-elle d'une traite.

G. est ressorti de la Préfecture de police, quai de Gesvres, assez amusé, satisfait d'avoir embobiné l'inspectrice et ses collègues. « Tout s'est déroulé à merveille, fanfaronne-t-il dès son arrivée. Les policiers m'ont assuré qu'il ne s'agissait que d'une formalité administrative. Des lettres de dénonciation concernant des célébrités, vous savez, Monsieur, on en reçoit des centaines par jour, a déclaré l'inspectrice. » Comme toujours, G. est persuadé que son charme irrésistible a opéré. Ce qui n'est pas improbable.

Les policiers lui ont montré la lettre qui les a alertés. Signée « W., une amie de la mère », elle décrit par le menu certains de nos faits et gestes les plus récents. Telle séance de cinéma à laquelle nous

nous sommes rendus. Mon arrivée chez lui tel jour, à telle heure, le retour chez ma mère deux heures plus tard. Le récit de nos turpitudes est ponctué de considérations du style : « Non, mais, rendez-vous compte, c'est une honte, il se croit au-dessus des lois », etc. La lettre anonyme typique, un modèle du genre, presque une parodie. J'en suis glacée. Détail étrange, cette lettre me rajeunit d'un an, sans doute pour accentuer la gravité des faits. Il y est question d'une « petite V. de treize ans ». Mais qui peut bien passer autant de temps à nous épier ? Et puis cette signature étrange, comme un indice posé là pour mieux laisser deviner l'identité de son auteur. Sinon, pourquoi cette initiale ?

Ma mère et G. se lancent alors dans les conjectures les plus folles. Nous envisageons chacun de nos amis comme potentiel corbeau. Ce pourrait être la voisine du deuxième étage, une dame âgée, professeure de lettres, qui m'emmenait parfois le mercredi à la Comédie-Française quand j'étais enfant. Peut-être nous a-t-elle surpris en train de nous embrasser à pleine bouche au coin de la rue ? Sans doute sait-elle qui est G. (après tout elle est prof de littérature) et puis elle a connu l'Occupation, époque où l'on pratiquait sans vergogne ce style de correspondance. Mais c'est le « W » qui nous trouble, un peu trop moderne pour elle. *W. ou le souvenir d'enfance* de Georges Perec n'appartient certainement pas au panthéon littéraire de Mme Latreille, dont les références s'arrêteraient plutôt à la fin du XIXᵉ siècle.

Alors peut-être Jean-Didier Wolfromm, célèbre critique littéraire, sans doute adepte des pastiches comme le sont parfois les gens qui n'arrivent pas à écrire à la première personne du singulier ? Ou qui ne parviennent plus à écrire tout court, bien qu'ils en aient fait profession. C'est certainement lui, dit G. D'abord, l'initiale correspond. Ensuite c'est un proche de ta mère, et il t'a prise sous son aile.

Jean-Didier m'invite effectivement à déjeuner de temps à autre et m'encourage à écrire, allez savoir pourquoi. V., il faut que tu écrives, me dit-il souvent. Et écrire, eh bien, ça peut paraître idiot, mais ça commence par s'asseoir, et puis… écrire. Tous les jours. Sans déroger.

Chez lui, chaque pièce croule sous les livres. J'en repars toujours une pile d'ouvrages sous le bras, des exemplaires que les attachées de presse des maisons d'édition lui envoient. Il m'en fait une petite sélection. Me donne des conseils. Bien qu'il ait la réputation d'être d'une méchanceté impitoyable, je l'aime énormément. Il est d'une drôlerie extrême, souvent aux dépens des autres, mais je ne peux pas imaginer qu'il ferait une chose pareille. S'en prendre à G., c'est s'en prendre à moi.

Depuis longtemps, sans doute parce que mon père m'a abandonnée sur le bord de la route,

Jean-Didier me regarde grandir avec affection. Et j'ai conscience de sa solitude. J'ai vu, dans son appartement, cette baignoire maculée d'encre violette, où tous les jours il doit prendre un bain de permanganate à cause d'une maladie de peau effroyable : son visage, ses mains, sont toujours irrités, rouges et striés de crevasses blanchâtres. Des mains extraordinaires qui me fascinent, tellement habiles à tenir un stylo, alors qu'en plus du reste, elles sont tordues par la poliomyélite. Curieusement, son aspect physique ne m'a jamais rebutée, je l'embrasse toujours comme du bon pain. Derrière la souffrance, et l'apparente méchanceté, je sais que se cache un être doux et bienveillant.

— Je suis sûr que c'est ce salaud, tonne G. Il est jaloux de moi depuis toujours parce qu'il est monstrueux. Il ne supporte pas qu'on puisse être beau et talentueux à la fois. Je l'ai toujours trouvé répugnant. Et puis je suis sûr qu'il ne pense qu'à coucher avec toi.

— Mais ce W., ce n'est pas un peu trop évident ? Autant signer directement de son nom, dans ce cas !

Je tente de défendre ce pauvre Jean-Didier tout en me disant intérieurement qu'après tout, il serait bien assez retors pour avoir inventé une telle ruse, si l'objectif était de jeter G. en prison.

— Ça pourrait aussi bien être Denis, lance G.

Denis est un éditeur, ami de ma mère, encore. Un soir où il dînait à la maison avec d'autres invités, il s'est levé de table lorsque G. a débarqué et l'a violemment pris à partie. Ma mère a dû demander à Denis de quitter les lieux, ce qu'il a fait sans se faire prier. Une des très rares personnes, peut-être la seule, à avoir tenté de se dresser entre G. et moi, à exprimer publiquement son indignation. Est-il pour autant le corbeau ? Pas son genre, vraiment... Pourquoi, après avoir été si frontal, user d'un moyen aussi mesquin ?

— Mon ancienne institutrice, peut-être ? Elle habite toujours le quartier et nous sommes restées proches. Je ne lui ai jamais parlé de toi, mais elle nous a peut-être croisés par hasard dans la rue et nous a vus nous tenir par la main. Elle serait du genre à en avoir une attaque... Ou bien cet autre éditeur, Martial, dont les bureaux sont au rez-de-chaussée de notre immeuble, dans la cour, et qui a eu cent fois la possibilité d'observer nos allées et venues ? Mais nous le connaissons à peine. Lui, *une amie de la mère* ?

Mes camarades de collège ? Trop jeunes pour user d'un procédé aussi sophistiqué. Pas leur style...

Et pourquoi pas mon père ? Je n'ai plus aucune nouvelle depuis son esclandre à l'hôpital. Il y a quelques années, il songeait à créer une agence de détectives privés. Aurait-il mis son projet à exécution en décidant de faire filer sa fille ? Je ne peux m'empêcher d'envisager cette option. Je cache à G., et sans doute à moi-même, que cette perspective, au fond, me procure un certain plaisir. Après tout, n'est-ce pas le rôle d'un père de protéger sa fille ? Cela signifierait que je compte encore pour lui... Mais pourquoi utiliser ce moyen détourné de la lettre anonyme plutôt que de se rendre lui-même à la Brigade des mineurs ? Absurde. Non, ce n'est pas lui. Enfin, qui sait, il est tellement imprévisible...

En deux heures, nous avons fait le tour de toutes nos connaissances, envisagé les scénarios les plus improbables. Et au terme de ce premier conseil de guerre, la totalité de mon entourage est devenue suspecte. Aucun des ennemis de G. n'est soupçonné d'être l'auteur de cette lettre. Trop de détails à mon sujet. « Ce ne peut être qu'un de vos intimes », a décrété G., en fixant ma mère d'un regard glaçant.

À quatre reprises, G. sera convoqué de nouveau à la Brigade des mineurs. Car de ces lettres, la police en recevra toute une série. De plus en plus sournoises, de plus en plus intrusives, s'étalant sur plusieurs mois. G. aura accès à la majorité d'entre elles.
Pour les amis de ma mère, notre relation est un secret de polichinelle, mais au-delà de ce cercle d'initiés, la plus grande prudence est requise. Il faut se montrer très discrets. Je me sens désormais comme une bête traquée. La sensation d'être épiée en permanence fait naître chez moi un sentiment de paranoïa, auquel s'ajoute une culpabilité constante.

Dans la rue, je rase les murs, fais des détours de plus en plus alambiqués pour aller chez G. Nous ne nous y rendons plus jamais en même temps. Il arrive le premier, je le rejoins une demi-heure plus tard. Nous ne marchons plus main dans la main. Nous ne traversons plus ensemble le jardin du Luxembourg.

Après la troisième convocation quai de Gesvres, toujours *purement formelle*, selon la police, G. commence à se montrer vraiment nerveux.

Un après-midi que je viens de passer chez lui, dans ses draps, nous dévalons les escaliers, je suis en retard et manque de me cogner à un jeune couple qui monte les marches. Polie, je les salue, tout en continuant de descendre les escaliers. Lorsqu'ils arrivent à hauteur de G., je les entends s'adresser à lui. Monsieur M. ? Brigade des mineurs. Il faut croire que même les flics regardent les émissions littéraires à la télé puisque ces deux-là, bien qu'ils ne l'aient encore jamais rencontré, reconnaissent tout de suite le visage de G. C'est moi-même, répond-il d'une voix suave et détendue. Que puis-je pour vous ? Son sang-froid me sidère, moi qui tremble comme une feuille. Faut-il partir en courant, me cacher dans un recoin de l'escalier, hurler pour le défendre et leur crier mon amour, organiser sa fuite en faisant diversion ? Je m'aperçois très vite que rien de tout cela ne sera nécessaire. Le dialogue se déroule sur un ton affable. « Nous voudrions vous parler, Monsieur M. Bien sûr, seulement je dois me rendre à une signature dans une librairie, pourriez-vous revenir une autre fois ? Bien entendu, Monsieur M. »

G. me désigne du regard en disant « Permettez-moi d'abord de dire au revoir à cette jeune étudiante qui est venue m'interroger sur mon travail ». Puis il me serre la main et m'envoie un long clin d'œil. Ce n'est qu'une visite de routine, dit la femme. Ah, vous ne venez pas m'arrêter, si je comprends bien (rires). Bien sûr que non, enfin, Monsieur M. Nous pouvons revenir demain, si cela vous arrange.

G. n'a pas à s'inquiéter d'une perquisition. Son studio ne présente plus la moindre trace de ma présence dans sa vie. Mais, si je comprends bien, nous venons d'éviter de justesse un flagrant délit.

Pourquoi aucun des deux inspecteurs ne fait-il attention à l'adolescente que je suis ? Les lettres mentionnent une « petite V. de treize ans ». Certes, j'en ai quatorze, et parais peut-être un peu plus.

Tout de même, aussi peu de soupçons laisse sans voix.

G. loue désormais à l'année une chambre d'hôtel pour échapper aux visites de la Brigade des mineurs (qu'il appelle des « persécutions »). Il a choisi cet hôtel sans prétention parce qu'il bénéficie d'une situation idéale. En face de la rue qui donne sur mon collège, il est également adossé à la brasserie où G. a son rond de serviette. Un généreux mécène, inconditionnel de son œuvre, finance cet investissement substantiel. Comment écrire, sans cela, avec toute cette flicaille sur le dos ? L'art avant tout !

Comme dans son minuscule studio près du Luxembourg, la première chose qu'on voit en entrant, c'est un lit, énorme, trônant au milieu de la pièce. G. passant plus de temps allongé qu'assis ou debout, sa vie comme la mienne seront en permanence tendues vers ce lit. Je dors de plus en plus souvent dans cette chambre, ne mets plus les pieds chez ma mère que lorsqu'elle l'exige.

On apprend un jour à G. qu'un champignon malin s'attaque à sa vue. L'hypothèse du VIH est la première envisagée. Pendant une longue semaine d'angoisse, nous attendons les résultats du test. Je n'ai pas peur, je me prends déjà pour une héroïne tragique, s'il faut mourir d'amour, quel honneur et quel privilège ! Voilà ce que je murmure à G., en l'enlaçant tendrement. De son côté, il paraît beaucoup moins rassuré. Un de ses proches est en train d'agoniser, la maladie s'attaque à sa peau, la couvrant d'une espèce de lèpre sombre. G. connaît le caractère implacable de ce virus, la déchéance qui s'ensuit, la mort, inéluctable. Et rien ne lui fait davantage horreur que l'idée de la dégradation physique. L'angoisse est perceptible dans le moindre de ses gestes.

G. a été hospitalisé le temps d'effectuer toutes les analyses nécessaires, puis de recevoir un traitement adapté. La perspective du sida a été écartée. Un jour, le téléphone sonne, je suis à son chevet, dans sa chambre d'hôpital. Une femme très distinguée souhaite parler à G. Je demande qui elle est, elle me répond d'un ton solennel : le président de la République est en ligne.

J'apprends plus tard que G. garde en permanence dans son portefeuille une lettre du Président, portant aux nues son style, son immense culture.

Cette lettre est pour G. un sésame. En cas d'arrestation, il pense qu'elle aurait le pouvoir de le sauver.

G. n'est finalement resté que peu de temps à l'hôpital. Après avoir fait courir le bruit qu'il était atteint du sida (c'est plus facile une fois qu'on est certain de ne pas l'avoir), il arbore désormais en permanence de nouvelles lunettes de soleil, encore plus couvrantes, et une canne. Je commence à lire dans son jeu. Il aime dramatiser sa situation. Se faire plaindre. Chaque épisode de sa vie est instrumentalisé.

Pour la sortie de son nouveau livre, G. a été invité sur le plateau de la plus célèbre émission littéraire, la Mecque des écrivains. Il m'a demandé de l'accompagner.

Dans le taxi qui nous conduit vers les studios de télévision, le nez collé à la vitre, je suis d'un œil distrait le défilement des façades centenaires sous la lueur des lampadaires, les monuments, les arbres, les passants, les amoureux. La nuit vient de tomber. G. porte ses sempiternelles lunettes noires. Mais depuis quelques minutes, derrière le plastique opaque, je sens sur moi l'hostilité de son regard.

— Qu'est-ce qui t'a pris de te maquiller ? finit-il par lâcher.

— Je... je ne sais pas, ce soir, c'est un moment exceptionnel, je voulais être belle, pour toi, pour te plaire...

— Et qu'est-ce qui te fait croire que je t'aime comme ça, toute bariolée ? Tu veux avoir l'air d'une « dame », c'est ça ?

— G., non, je voulais juste être jolie, pour toi, c'est tout.

— Mais c'est quand tu es naturelle que je t'aime, tu ne comprends pas ? Tu n'as pas besoin de faire ça. Là, tu ne me plais pas.

Je ravale mes sanglots, gênée par la présence du chauffeur, sans doute persuadé qu'il a bien raison, mon père, de m'engueuler comme ça. À mon âge, me maquiller comme une pute ! Et pour aller où, encore ?

Tout est foutu. La soirée sera un désastre, mon rimmel a coulé et maintenant, c'est sûr, je ne ressemble plus à rien. Il va falloir que je salue des inconnus, des adultes qui prendront tous un air entendu en me voyant au bras de G., il faudra que je sourie pour le mettre en valeur, comme chaque fois qu'il me présente à ses amis. Alors que je pourrais m'ouvrir les veines, là tout de suite, parce qu'il vient de me briser le cœur en me disant que je n'étais plus à son goût.

Une heure plus tard, dans le studio d'enregistrement, après quelques caresses, mots doux et réconciliation, après qu'il m'a couverte de baisers en m'appelant encore et toujours son « enfant chérie », sa « belle écolière », je suis assise dans le public, emplie d'admiration.

Trois ans plus tard, G. participera à cette même émission, qui n'aura jamais aussi bien porté son nom, car le moins qu'on puisse dire c'est qu'il y sera « apostrophé », et pas qu'un peu ! J'en ai découvert un extrait des années après, sur Internet. Cet enregistrement est beaucoup plus connu que celui auquel j'ai assisté, car en 1990, G. ne vient pas y défendre un inoffensif dictionnaire philosophique, mais le dernier tome de son journal intime.

Dans un extrait qu'on trouve encore en vidéo, l'illustre maître de cérémonie égrène la liste des conquêtes de G., et raille sur un ton gentiment désapprobateur l'« écurie de jeunes amantes » dont G. se vante.

Des plans de coupe montrent les autres invités, hilares, à peine miment-ils eux aussi la réprobation, quand le célèbre animateur s'enflamme, laissant cette fois libre cours à son ironie : « Vous êtes tout de même un collectionneur de minettes ! »

Jusque-là tout va bien. Rires complices, visage empourpré et faussement modeste de G.

Soudain, une des convives, une seule, s'en prend à cette belle harmonie et, sans ménagement, se lance dans une véritable exécution en règle. Son nom est Denise Bombardier, c'est une auteure canadienne. Elle se dit scandalisée de la présence sur une chaîne de télévision française d'un personnage aussi détestable, d'un pervers connu pour défendre et pratiquer la pédophilie. Citant l'âge des fameuses maîtresses de G.M. (« Quatorze ans ! »), elle ajoute que dans son pays, une telle aberration serait inenvisageable, que chez elle, on est plus évolué quant au droit des enfants. Et comment s'en sortent plus tard toutes ces filles qu'il décrit dans ses livres ? Quelqu'un a-t-il pensé à elles ?

La riposte est immédiate, même si on sent G. surpris par ces attaques. Très courroucé, il corrige : « Il n'y a aucune fille de quatorze ans, il y a des jeunes filles qui ont deux ou trois ans de plus, et qui ont tout à fait l'âge de vivre des amours. » (On ne peut pas dire, il connaît son code pénal.) Puis il avance qu'elle a beaucoup de chance d'être tombée sur un homme aussi courtois et bien élevé que lui, qu'il ne s'abaissera pas à son niveau d'insultes et termine, toujours en faisant danser ses mains, de cette manière féminine censée rassurer sur la douceur de ses intentions, qu'aucune des jeunes filles citées ne s'est jamais plainte de la relation qu'elle entretenait avec lui.

Fin de partie. L'écrivain célèbre a gagné face à la virago qui passe sur le moment pour une mal-baisée, jalouse du bonheur de jeunes filles tellement plus épanouies qu'elle.

Si G. avait subi les mêmes critiques en ma présence, ce soir où je l'écoute en silence, assise dans le public, comment aurais-je réagi ? Aurais-je instinctivement pris sa défense ? Aurais-je essayé d'expliquer à cette femme, après l'enregistrement, qu'elle avait tort, et que, non, je n'étais pas là par contrainte ? Aurais-je compris que c'était moi, cachée parmi les spectateurs, ou une autre de mes congénères, que cette femme tentait de protéger ?

Mais cette fois-ci, il n'y aura pas d'algarade, aucune fausse note pendant la grand-messe. Le livre de G., trop sérieux, ne s'y prête pas. Concert d'éloges, puis verre offert dans les coulisses. G. me présente à tout le monde, comme à son habitude, avec une fierté évidente. Belle façon, là encore, de confirmer la véracité de ses écrits. Les adolescentes font bien partie intégrante de sa vie. Et personne ne se montrera choqué le moins du monde ni même embarrassé par le contraste entre G. et mes joues pleines de gamine, sans fard ni accidents de l'âge.

Rétrospectivement, je m'aperçois du courage qu'il a fallu à cette auteure canadienne pour s'insurger, seule, contre la complaisance de toute une époque. Aujourd'hui, le temps a fait son œuvre et cet extrait d'« Apostrophes » est devenu ce qu'on appelle, pour le meilleur et pour le pire, un « moment » de télévision.

Et, depuis belle lurette, G. n'est plus invité dans les émissions littéraires pour se vanter de ses conquêtes collégiennes.

D'abord ces lettres de dénonciation anonyme, puis la crainte d'être tous les deux atteints du sida : ces menaces successives ont cristallisé notre amour. Devoir se cacher, disparaître, fuir le regard intrusif des témoins, des jaloux, hurler dans une salle d'audience que je l'aime plus que tout tandis qu'on passe les menottes à mon bien-aimé... Mourir dans les bras l'un de l'autre, la peau rongée, collée sur les os, mais d'un seul cœur qui ne bat que pour l'autre... La vie auprès de G. ressemble plus que jamais à un roman. Sa fin sera-t-elle tragique ?

Il y aurait quelque part une voie à suivre, ou à découvrir. C'est ce que disent les taoïstes. La voie de la justesse. Le bon mot, le geste parfait, le sentiment irréfutable d'être là où il faut, au bon moment. Là où se trouverait la vérité nue, en quelque sorte.

À quatorze ans, on n'est pas censée être attendue par un homme de cinquante ans à la sortie de son collège, on n'est pas supposée vivre à l'hôtel avec lui, ni se retrouver dans son lit, sa verge dans la bouche à l'heure du goûter. De tout cela j'ai conscience, malgré mes quatorze ans, je ne suis pas complètement dénuée de sens commun. De cette anormalité, j'ai fait en quelque sorte ma nouvelle identité.

À l'inverse, quand personne ne s'étonne de ma situation, j'ai tout de même l'intuition que le monde autour de moi ne tourne pas rond.

Et quand, plus tard, des thérapeutes en tout genre s'échineront à m'expliquer que j'ai été victime d'un prédateur sexuel, là aussi, il me semblera que ce n'est pas non plus la « voie du milieu ». Que ce n'est pas tout à fait *juste*.

Je n'en ai pas encore fini avec l'ambivalence.

IV.

La déprise

« Tant qu'on ne pourra me prouver qu'une fillette nommée X ait été spoliée de son enfance par un maniaque, je ne vois point de cure pour mon tourment, hormis le palliatif très local de l'art articulé. »

Vladimir Nabokov, *Lolita*

G. écrit, presque nuit et jour. Son éditeur attend un manuscrit pour la fin du mois. Une étape que j'ai appris à connaître. C'est le deuxième livre qu'il s'apprête à publier depuis que nous nous sommes rencontrés un an plus tôt. Du lit, mon regard suit la ligne anguleuse de ses épaules, courbées sur la petite machine à écrire rescapée du studio que nous avons dû fuir. Son dos nu et parfaitement lisse. Ses muscles fins, sa taille étroite ceinte dans une serviette éponge. Je sais désormais que la sveltesse de ce corps a un coût. Un coût très élevé, même. Deux fois par an, G. se rend dans une clinique suisse spécialisée où il se nourrit presque exclusivement de salade et de graines, où alcool et tabac sont bannis, et d'où il revient chaque fois rajeuni de cinq ans.

Cette coquetterie ne colle pas à l'image que je me fais d'un homme de lettres. Pourtant c'est bien de ce corps quasi imberbe, si mince et souple, si blond et ferme, que je suis tombée amoureuse. Mais j'aurais préféré ne pas en connaître les secrets de conservation.

Dans le même registre, j'ai découvert que G. avait une véritable phobie de toutes les formes d'altérations physiques. Un jour, en prenant une douche, je m'aperçois que la peau de mon buste et de mes bras est recouverte de plaques rouges. Nue et encore trempée, je sors précipitamment de la salle de bains pour lui montrer ces marques. Mais en voyant l'étendue de l'éruption cutanée sur mon corps, il prend un air horrifié, cache ses yeux d'une main et lance, sans me regarder :

— Non mais pourquoi tu me montres ça ? Tu veux me dégoûter de toi, ou quoi ?

Une autre fois, à peine sortie du collège, je suis assise sur le lit, les yeux rivés sur mes chaussures, en larmes. Un silence de plomb s'est installé dans la chambre. J'ai eu le malheur d'évoquer le prénom d'un camarade de classe qui m'a invitée à un concert.

— Un concert de quoi ?

— De Cure, c'est de la new wave. J'ai eu honte, tu comprends. Tout le monde avait l'air de connaître, sauf moi.

— De quoi ?

— Cure.

— Et tu peux me dire ce que tu penses faire dans un concert de new wave à part fumer des joints en hochant la tête comme une débile ? Et puis, ce type, là, pourquoi il t'invite si ce n'est pour te peloter entre deux chansons, ou pire, te coincer dans le noir pour pouvoir t'embrasser ? J'espère que tu as dit non, au moins ?

À l'approche de mes quinze ans, G. s'est mis en tête de contrôler tous les aspects de mon existence. Il est devenu en quelque sorte mon tuteur. Je dois manger moins de chocolat pour éviter l'acné. Faire attention à ma ligne en règle générale. Arrêter de fumer (je fume comme une camionneuse).

Ma conscience n'est pas en reste. Chaque soir, il me fait la lecture du Nouveau Testament, vérifie que j'ai bien perçu le sens du message du Christ dans chacune des paraboles. S'étonne de mon inculture totale dans ce domaine. Moi l'athée, la non-baptisée, fille de féministe soixante-huitarde, je m'insurge parfois du traitement réservé à mes congénères dans ce texte que je trouve la plupart du temps – en plus d'être misogyne – répétitif et abscons. Mais, au fond, je ne suis pas non plus mécontente de cette découverte. La Bible, après tout, est un texte littéraire comme un autre. Non, objecte G., c'est *Celui* dont découlent tous les autres. Entre deux caresses, il m'apprend aussi à dire en entier un « Je vous salue Marie », en français puis en russe. Je dois connaître la prière par cœur et la réciter le soir dans ma tête avant de dormir.

Mais de quoi a-t-il peur, bon sang ? Que j'aille en Enfer avec lui ?

L'Église est faite pour les pécheurs, répond-il.

G. est parti pour deux semaines faire sa cure de jouvence en Suisse. Il m'a laissé les clefs de la chambre d'hôtel et du studio du Luxembourg. Je pourrai y passer, si je le souhaite. Un soir, je finis par transgresser le tabou et décide de lire les livres interdits. D'une traite, comme une somnambule. Pendant deux jours, je ne mets pas le nez dehors.

La pornographie de certains passages, à peine dissimulée sous le raffinement de la culture et la maîtrise du style, me donne des haut-le-cœur. Je m'arrête sur un paragraphe en particulier, où en voyage à Manille, G. se met en quête de « culs frais ». « Les petits garçons de onze ou douze ans que je mets ici dans mon lit sont un piment rare », écrit-il un peu plus loin.

Je pense à ses lecteurs. J'imagine soudain de vieux messieurs ignobles – que j'affuble aussitôt d'un physique tout aussi révoltant – électrisés par ces descriptions de corps juvéniles. En devenant une des héroïnes des romans de G., de ses carnets noirs, deviendrai-je moi aussi le support de pratiques masturbatoires pour lecteurs pédophiles ?

Si G. est bien le pervers qu'on m'a tant de fois dépeint, le salaud absolu qui, pour le prix d'un billet d'avion vers les Philippines, s'offre une orgie de corps de petits garçons de onze ans, en justifiant ses actes par le simple achat d'un cartable, alors cela fait-il de moi aussi un monstre ?

Je tente immédiatement de refouler cette idée. Mais le venin est entré, et il commence à se répandre.

Il est 8 h 20. Cette semaine, pour la troisième fois, je n'ai pas réussi à passer le seuil du collège. Je me suis levée, douchée, habillée. J'ai bu mon thé d'un seul trait, enfilé mon sac à dos, dévalé les escaliers de chez ma mère (G. est toujours absent). Jusque dans la cour de l'immeuble, tout allait bien. Et puis dans la rue, déjà, ça s'est gâté. Peur du regard des gens, peur de croiser quelqu'un que je connaisse, à qui il faille adresser la parole. Un voisin, un commerçant, un camarade de classe. Je rase les murs, fais des détours impensables en empruntant les rues les moins fréquentées. Chaque fois que je croise mon reflet dans une glace, mon corps se fige et j'ai le plus grand mal à le remettre en mouvement.

Mais aujourd'hui, je me sens résolue, déterminée, forte. Non, cette fois je ne céderai pas à la panique. Et puis, il y a cette vision, une fois sur le pas de la porte du collège. D'abord, planqués dans l'ombre, les cerbères en train de contrôler les cartes des élèves. Puis, les dizaines de sacs à dos se bousculant les uns les autres pour se ruer vers la ruche bruyante et désordonnée de la cour centrale. Un essaim grouillant et hostile. Ça ne loupe pas. Je fais demi-tour, prends la rue en sens inverse jusqu'au marché, essoufflée, le cœur battant, transpirant comme si j'avais commis un crime. Coupable et sans défense.

Je trouve refuge dans un bistrot du quartier où j'ai élu domicile, quand je ne suis pas à l'hôtel. Je peux y rester des heures sans que personne vienne me déranger. Le garçon est toujours discret. Il m'observe noircir mon journal ou lire en silence dans la compagnie disparate de quelques piliers de bar. Il n'a jamais un mot déplacé. Ne me demande pas pourquoi je ne suis pas en cours. N'exige pas que je consomme plus qu'un café et un verre d'eau, même si je reste trois heures durant dans cette salle froide et anonyme où le son du flipper émerge parfois de celui des verres et des tasses entrechoqués.

Je commence à reprendre mon souffle. Je dois me recentrer. Respirer. Réfléchir. Prendre une décision. J'essaie d'écrire quelques phrases à la va-vite sur un carnet. Mais plus rien ne vient. C'est quand même un comble, vivre avec un écrivain et n'avoir plus la moindre inspiration.

Il est 8 h 35. À trois rues d'ici, la cloche a sonné. Les élèves ont pris l'escalier, se sont assis deux par deux, ont sorti leurs cahiers, leurs trousses. Le prof est entré dans la classe. Tout le monde s'est tu pendant qu'il commençait à faire l'appel. Arrivé vers les dernières lettres de l'alphabet, il a prononcé mon nom, sans même lever les yeux vers le fond de la salle. Absente, comme d'habitude, a-t-il dit, d'un ton las.

Depuis le retour de G., des furies débarquent à toute heure devant la porte de sa chambre d'hôtel. On les entend pleurer sur le palier. Parfois, elles glissent un mot sous le paillasson. Un soir, il sort pour parler avec l'une d'entre elles et referme derrière lui de manière que je n'entende pas leur conversation. Hurlements, gesticulations, puis sanglots étouffés, chuchotements. Tout va bien, il a réussi à raisonner la walkyrie, qui repart en dévalant les escaliers.

Quand je demande à G. des explications, il prétend que ce sont des fans qui l'ont suivi dans la rue, ou ont réussi à obtenir son adresse on ne sait comment, la plupart du temps par son éditeur, pas assez soucieux de sa tranquillité (il a bon dos).

Puis, il m'annonce qu'il repart, cette fois-ci pour Bruxelles, où il est convié à une signature en librairie et participe à un salon du livre. Je resterai à l'hôtel, seule, une fois encore. Mais deux jours plus tard, le samedi, en marchant dans la rue avec une amie, je l'aperçois au bras d'une jeune fille, sur le trottoir d'en face. Comme une automate, je tourne les talons en essayant de chasser cette vision. C'est impossible. G. est en Belgique, il me l'a juré.

J'ai rencontré G. à l'âge de treize ans. Nous sommes devenus amants quand j'en ai eu quatorze, j'en ai maintenant quinze, et aucune comparaison n'est possible puisque je n'ai pas connu d'autre homme. Pourtant, assez vite, je m'aperçois du caractère répétitif de nos séances amoureuses, des difficultés de G. à maintenir son érection, de ses subterfuges laborieux pour y parvenir (s'astiquer avec frénésie tandis que je lui tourne le dos), de l'aspect de plus en plus mécanique de nos ébats, de l'ennui qui s'en dégage, de la peur d'émettre une quelconque critique, de la difficulté, quasi insurmontable, à lui soumettre un désir qui briserait non seulement notre routine, mais augmenterait mon propre plaisir. Depuis que j'ai lu les livres interdits, ceux qui étaient sa collection de maîtresses et détaillent ses voyages à Manille, quelque chose de visqueux et sordide est venu recouvrir chacun de ces moments d'intimité dans lesquels je ne parviens plus à voir la moindre trace d'amour. Je me sens avilie, et plus seule que jamais.

Notre histoire était pourtant unique, et sublime. À force qu'il me le répète, j'avais fini par croire à cette transcendance, le syndrome de Stockholm n'est pas qu'une rumeur. Pourquoi une adolescente de quatorze ans ne pourrait-elle aimer un monsieur de trente-six ans son aîné ? Cent fois, j'avais retourné cette question dans mon esprit. Sans voir qu'elle était mal posée, dès le départ. Ce n'est pas mon attirance à moi qu'il fallait interroger, mais la sienne.

La situation aurait été bien différente si, au même âge, j'étais tombée follement amoureuse d'un homme de cinquante ans qui, en dépit de toute morale, avait succombé à ma jeunesse, après avoir eu des relations avec nombre de femmes de son âge auparavant, et qui, sous l'effet d'un coup de foudre irrésistible, aurait cédé, une fois, mais la seule, à cet amour pour une adolescente. Oui, alors là, d'accord, notre passion extraordinaire aurait été *sublime*, c'est vrai, si j'avais été celle qui l'avait poussé à enfreindre la loi par amour, si au lieu de cela G. n'avait pas rejoué cette histoire cent fois tout au long de sa vie ; peut-être aurait-elle été unique et infiniment romanesque, si j'avais eu la certitude d'être la première et la dernière, si j'avais été, en somme, dans sa vie sentimentale, une *exception*. Comment ne pas lui pardonner, alors, sa transgression ? L'amour n'a pas d'âge, ce n'est pas la question.

En réalité, à l'échelle de l'existence de G., je savais maintenant que ce désir pour moi était infiniment redondant et d'une triste banalité, qu'il relevait de la névrose, d'une forme d'addiction incontrôlable. J'étais peut-être la plus jeune de ses conquêtes à Paris, mais ses livres étaient peuplés d'autres Lolita de quinze ans (à un an près, ça ne faisait pas beaucoup de différence), et s'il avait vécu dans un pays moins regardant sur la protection des mineurs, mes quatorze ans lui auraient paru bien insignifiants comparés aux onze ans d'un petit garçon aux yeux bridés.

G. n'était pas un homme comme les autres. Il avait fait profession de n'avoir de relations sexuelles qu'avec des filles vierges ou des garçons à peine pubères pour en retracer le récit dans ses livres. Comme il était en train de le faire en s'emparant de ma jeunesse à des fins sexuelles et littéraires. Chaque jour, grâce à moi, il assouvissait une passion réprouvée par la loi, et cette victoire, il la brandirait bientôt triomphalement dans un nouveau roman.

Non, cet homme n'était pas animé que des meilleurs sentiments. Cet homme n'était pas bon. Il était bien ce qu'on apprend à redouter dès l'enfance : un ogre.

Notre amour était un rêve si puissant que rien, pas un seul des maigres avertissements de mon entourage, n'avait suffi à m'en réveiller. C'était le plus pervers des cauchemars. C'était une violence sans nom.

Le sortilège se dissipe. Il était temps. Mais aucun prince charmant ne vient à mon secours pour trancher la jungle de lianes qui me retient encore au royaume des ténèbres. Au fil des jours, je m'éveille à une nouvelle réalité. Une réalité que je me refuse encore à accepter dans sa totalité, car elle risquerait de m'anéantir.

Mais auprès de G., je ne prends plus la peine de cacher aucun de mes doutes. Ce que je découvre de lui, et qu'il avait tenté de dissimuler jusque-là, me révolte. J'essaie de comprendre. Quel plaisir prend-il à se taper des gosses à Manille ? Et pourquoi ce besoin de coucher avec dix filles à la fois, comme il s'en vante dans son journal ? Mais qui est-il vraiment, enfin ?

Quand je tente d'obtenir des réponses, il esquive par l'attaque. Me traite d'insupportable ratiocineuse.

— Et toi, alors, qui es-tu, avec tes questions ? Une version moderne de l'Inquisition ? Une féministe, peut-être ? Il ne manquerait plus que ça !

À partir de cette période, G. m'assène tous les jours le même credo :

— Tu es folle, tu ne sais pas profiter du moment présent, comme toutes les femmes d'ailleurs. Aucune femme n'est capable de savourer l'instant présent, c'est dans vos gènes, on dirait. Vous êtes des insatisfaites chroniques, toujours prisonnières de votre hystérie.

Et voilà, aux oubliettes, les mots tendres, les « mon enfant chérie », « ma belle écolière ».

— Je te signale que je n'ai que quinze ans, comme tu le sais, je ne suis donc pas encore tout à fait ce qu'on appelle une « femme » ! D'ailleurs, tu y connais quoi, toi, aux femmes ? Passé la barrière des dix-huit ans, plus rien ne t'intéresse chez elles !

Mais je ne suis pas de taille pour une joute verbale. Trop jeune et inexpérimentée. Face à lui, l'écrivain et l'intellectuel, je manque cruellement de vocabulaire. Je ne connais ni le terme de « pervers narcissique », ni celui de « prédateur sexuel ». Je ne sais pas ce qu'est une personne pour qui l'autre n'existe pas. Je pense encore qu'il n'y a de violence que physique. Et G. manie le verbe comme on manie l'épée. D'une simple formule, il peut me donner l'estocade et m'achever. Impossible de livrer un combat à armes égales.

Cependant, je suis assez grande pour entrevoir l'imposture de la situation et comprendre que tous ses serments de fidélité, ses promesses de me laisser le plus merveilleux des souvenirs n'étaient qu'un mensonge de plus au service de son œuvre et de ses désirs. Je me surprends maintenant à le haïr de m'enfermer dans cette fiction perpétuellement en train de s'écrire, livre après livre, et à travers laquelle il se donnera toujours le beau rôle ; un fantasme entièrement verrouillé par son ego, et qui sera bientôt porté sur la place publique. Je ne supporte plus qu'il ait fait de la dissimulation et du mensonge une religion, de son travail d'écrivain un alibi par lequel justifier son addiction. Je ne suis plus dupe de son jeu.

Désormais, la moindre de mes paroles est retenue contre moi. Son journal est devenu mon pire ennemi, le filtre par lequel G. tamise notre histoire et la transforme en passion maladive dont je suis la seule artisane. Dès l'amorce d'un reproche, il s'empresse d'enfourcher sa plume : Tu vas voir ce que tu vas voir, ma jolie, et tiens, vlan ! voilà un sacré portrait de toi dans mon carnet noir !

Puisque je me rebelle, puisque je ne trouve plus de béatitude à venir me glisser dans ses draps entre deux cours, alors il faut qu'il se débarrasse de moi. Par la force de l'écrit, il fait de la « petite V. » une fille instable rongée par la jalousie, raconte ce qui lui chante. Je ne suis maintenant plus qu'un personnage en sursis, comme les filles précédentes, qu'il ne tardera pas à gommer des pages de son maudit journal. Pour ses lecteurs, ce ne sont que des mots, de la littérature. Pour moi, c'est le début d'un effondrement.

Mais que vaut la vie d'une adolescente anonyme au regard de l'œuvre littéraire d'un être supérieur ?

Oui, le conte de fées touche à sa fin, le charme a été rompu et le prince charmant a montré son vrai visage.

Un après-midi, en rentrant du collège, je trouve la chambre d'hôtel vide. G. est en train de se raser dans la salle de bains. Je pose mon cartable sur une chaise, m'assieds sur le rebord du matelas. Un de ses carnets noirs est négligemment jeté en travers du lit. Ouvert à la page où G. vient de coucher quelques lignes de cette encre bleu turquoise qui est devenue, à elle seule, sa signature : « 16 h 30. Suis allé chercher Nathalie à la sortie de son lycée. Lorsqu'elle m'a aperçu, de l'autre côté de la rue, sur le trottoir d'en face, son visage s'est illuminé. Au milieu des autres jeunes gens qui l'entouraient, elle semblait rayonner tel un ange... Nous avons passé un moment délicieux, divin, elle est si passionnée. Je ne serais pas étonné que cette jeune fille prenne à l'avenir plus d'importance dans ces carnets. »

Tandis que les mots se détachent de leur support pour venir m'encercler telle une nuée de démons, tout l'univers s'écroule autour de moi, les meubles de la chambre ne sont plus que ruines fumantes, des cendres flottent dans l'air devenu irrespirable.

G. sort de la salle de bains. Me trouve en pleurs, les yeux rougis, désignant avec incrédulité le carnet entrouvert. Il pâlit. Puis, de rage, il explose :

— Enfin, comment oses-tu me faire une scène, perturber mon travail, alors que je suis en pleine écriture de mon roman ? Est-ce que tu imagines une seconde la pression à laquelle je suis soumis en ce moment, est-ce que tu te figures un peu ce que ça demande comme énergie, comme concentration, ce que je fais ? Tu n'as pas idée de ce que c'est qu'être un artiste, un créateur. D'accord, je n'ai pas à pointer à l'usine, mais les affres que je traverse quand j'écris, non, tu n'as pas idée de ce que c'est ! Ce que tu viens de lire n'est que le brouillon d'un futur roman, ça n'a rien à voir avec nous, avec toi.

Ce mensonge, c'est celui de trop. J'ai beau avoir tout juste quinze ans, je ne peux m'empêcher d'y voir une insulte à mon intelligence, un déni de toute ma personne. Cette trahison de toutes ses belles promesses, cette révélation de sa vraie nature, me transpercent de part en part comme un poignard. Il n'y a plus rien à sauver entre nous. Je suis trompée, flouée, abandonnée à mon sort. Et je ne peux m'en prendre qu'à moi. J'enjambe le parapet de la fenêtre, prête à sauter dans le vide. Il me rattrape in extremis. Je pars en claquant la porte.

J'ai toujours eu une propension à l'errance, et une attirance incompréhensible pour les clochards avec qui je bavarde à la moindre occasion. Pendant plusieurs heures, je sillonne le quartier dans un état d'hébétude complète, à la recherche d'une âme sœur, d'un être humain à qui parler. Sous un pont, je m'assieds à côté d'un vieillard déguenillé et fond en larmes. L'homme hausse à peine un sourcil et marmonne quelques mots dans une langue inconnue. Nous restons quelque temps silencieux à regarder passer les péniches, puis je reprends ma route, sans but précis.

Machinalement, je me retrouve en bas d'un immeuble cossu dont le premier étage est occupé par un ami de G., un philosophe d'origine roumaine qu'il m'a présenté dès le début de notre relation comme étant son mentor.

Sale, les cheveux emmêlés, des traces de crasse noires sur le visage après avoir traîné par terre dans les rues de ce quartier où chaque librairie, chaque ligne de trottoir, chaque arbre, me renvoie à G., j'entre sous le porche. Tremblante, de la terre sous les ongles, en nage, je dois ressembler à une jeune squaw qui vient d'accoucher derrière un buisson. À pas feutrés, mais le cœur battant, je monte les marches d'un escalier recouvert d'un tapis sombre, sonne à la porte en rougissant, des sanglots bloqués au fond de la gorge. Une petite dame d'un certain âge m'ouvre, le regard bienveillant, je lui dis que je suis désolée de les déranger, que j'aurais aimé voir son mari, s'il est là, et l'épouse d'Emil prend un air affolé en remarquant ma mise négligée. « Emil, c'est V., l'amie de G. ! » crie-t-elle à travers l'appartement, puis elle s'engouffre dans un couloir qui mène à la cuisine et au son métallique qui s'en échappe, je devine qu'elle fait bouillir de l'eau, sûrement pour préparer du thé.

Cioran entre dans la pièce, lève un sourcil, signe d'étonnement discret mais éloquent, m'invite à m'asseoir. Il n'en faut pas plus pour que les larmes jaillissent à flots. Je pleure comme un nourrisson qui cherche sa mère et tente piteusement d'essuyer sur ma manche la morve qui coule de mon nez quand il me tend une serviette brodée pour m'y moucher.

Cette confiance aveugle qui m'a conduite chez lui ne tient qu'à une chose : sa ressemblance avec mon grand-père, lui aussi originaire des pays de l'Est, les cheveux blancs peignés en arrière avec deux golfes très avancés sur le haut du crâne, les yeux bleus perçants, le nez d'aigle, et l'accent à couper au couteau (tzitrón ? tchocoláte ? en servant le thé).

Je n'ai pas réussi à lire un seul de ses livres en entier, courts pourtant car ils se composent pour la plupart d'aphorismes, mais on dit de lui qu'il est un « nihiliste ». Et en effet, dans ce registre, il ne me décevra pas.

— Emil, je n'en peux plus, finis-je par hoqueter entre deux sanglots. Il dit que je suis folle, et je vais finir par le devenir s'il continue. Ses mensonges, ses disparitions, ces filles qui n'en finissent pas de venir frapper à sa porte et même cette chambre d'hôtel où je me sens prisonnière. Je n'ai plus personne à qui parler. Il m'a éloignée de mes amis, de ma famille...

— V., me coupe-t-il d'un ton grave, G. est un artiste, un très grand écrivain, le monde s'en rendra compte un jour. Ou peut-être pas, qui sait ? Vous l'aimez, vous devez accepter sa personnalité. G. ne changera jamais. C'est un immense honneur qu'il vous a fait en vous choisissant. Votre rôle est de l'accompagner sur le chemin de la création, de vous plier à ses caprices aussi. Je sais qu'il vous adore. Mais souvent les femmes ne comprennent pas ce dont un artiste a besoin. Savez-vous que l'épouse de Tolstoï passait ses journées à taper le manuscrit que son mari écrivait à la main, corrigeant sans répit la moindre de ses petites fautes, avec une

141

abnégation complète ! Sacrificiel et oblatif, voilà le type d'amour qu'une femme d'artiste doit à celui qu'elle aime.

— Mais Emil, il me ment en permanence.

— Le mensonge *est* littérature, chère amie ! Vous ne le saviez pas ?

Je n'en crois pas mes oreilles. C'est lui, le philosophe, le sage, qui profère ces paroles. Lui, l'autorité suprême, qui demande à une fille d'à peine quinze ans de mettre sa vie entre parenthèses, au service d'un vieux pervers ? De la boucler une fois pour toutes ? La vision des petits doigts potelés de la femme de Cioran sur l'anse de la théière m'absorbe tout entière et retient le flot d'injures qui me brûlent les lèvres. Toute pomponnée, ses cheveux bleutés assortis à son gentil corsage, elle acquiesce silencieusement à chaque mot de son mari. En son temps, elle a été une comédienne en vogue. Puis elle a cessé de tourner dans des films. Inutile de se demander à quel moment. La seule parole sensée, plus éclairante que je ne l'aurais cru sur le moment, qu'Emil ait consenti à me livrer, c'est en effet que G. ne changerait jamais.

Parfois, l'après-midi, après les cours, je m'occupe d'un petit garçon, le fils d'une voisine de ma mère. Je lui fais faire ses devoirs, lui donne le bain, lui prépare son dîner, joue un peu avec lui, puis le couche. Lorsque sa mère ressort dîner dehors, un jeune homme prend la relève.

Youri a vingt-deux ans, étudie le droit, joue du saxophone et travaille le reste du temps pour payer ses études. Coïncidence ou non, il a lui aussi des origines russes par son père. Nous ne faisons que nous croiser. Nous nous saluons, parlons peu, en tout cas au début. Mais au fil des semaines, je m'attarde de plus en plus avant de quitter les lieux. Nous devenons de plus en plus proches.

Un soir, nous restons tous les deux accoudés à la fenêtre, à regarder la nuit tomber. Youri me demande si j'ai un petit ami, et je me laisse aller à des confidences, puis timidement, finis par lui raconter la situation dans laquelle je suis. Une fois encore, je parle de moi comme d'une prisonnière. À quinze ans, je suis égarée dans un labyrinthe, incapable de retrouver mon chemin dans une existence quotidienne qui ne tourne plus qu'autour de querelles incessantes et de retrouvailles sur l'oreiller, seuls moments où je peux encore me sentir aimée. La folie me guette lorsque, pendant les rares moments que je passe encore en classe, je me compare à mes camarades qui rentreront sagement écouter leurs disques de Daho ou de Depeche Mode en mangeant un bol de céréales tandis qu'à la même heure je continuerai à satisfaire le désir sexuel d'un monsieur plus âgé que mon père, parce que la peur de l'abandon surpasse chez moi la raison, et que je me suis entêtée à croire que cette anormalité faisait de moi quelqu'un d'intéressant.

Je lève les yeux sur Youri. La colère a empourpré son visage, et une violence dont je l'aurais cru incapable déforme ses traits. Mais c'est avec une douceur inattendue qu'il prend ma main et me caresse la joue. « Tu te rends compte à quel point ce type profite de toi et te fait du mal ? Ce n'est pas toi la coupable, c'est lui ! Et tu n'es ni folle ni prisonnière. Il suffit que tu reprennes confiance en toi et que tu le quittes. »

G. s'aperçoit que je lui échappe. Sentir que je ne suis plus sous sa coupe lui est insupportable, c'est manifeste. Pourtant je ne lui ai rien dit de mes conversations avec Youri. Pour la première fois, G. m'a proposé de l'accompagner aux Philippines. Il veut me prouver que ce pays n'a rien à voir avec l'antre du Diable qu'il décrit dans ses livres. Surtout, il veut que nous partions loin, lui et moi, à l'autre bout du monde, *anywhere out of the world*. Pour nous retrouver, nous aimer à nouveau comme au premier jour. Je suis tétanisée. Accepter me terrifie, et pourtant j'en ai une envie irrépressible, peut-être dans l'espoir absurde de voir mon cauchemar se dissiper, de découvrir que toutes les descriptions à vomir qu'on trouve dans certains de ses livres ne sont que fantasmagories, provocation, vantardise. Que le commerce des enfants n'existe pas à Manille. Qu'il n'a jamais existé. Je sais très bien au fond de moi qu'il n'en est rien, que me rendre avec lui là-bas serait une folie. Est-ce qu'il me demandera de partager notre lit avec un petit garçon de onze ans ? De toute façon, ma mère, à qui il a osé faire cette demande insensée, a eu la présence d'esprit de refuser tout net. Je suis mineure et je ne quitterai pas le territoire sans son autorisation. Cette sentence me soulage d'un poids énorme.

Depuis quelque temps, G. ne cesse d'insister sur ce décalage entre fiction et réalité, entre ses écrits et la vraie vie, que je serais incapable de saisir. Il tente de brouiller les pistes, d'égarer ce sixième sens qui me permet de plus en plus souvent de détecter ses mensonges. J'ai découvert peu à peu l'étendue de son talent de manipulateur, la montagne d'affabulations qu'il est capable de dresser entre lui et moi. C'est un stratège exceptionnel, un calculateur de chaque instant. Toute son intelligence est tournée vers la satisfaction de ses désirs et leur transposition dans un de ses livres. Seules ces deux motivations guident véritablement ses actes. Jouir et écrire.

Une idée sournoise a commencé à germer dans mon esprit. Une idée d'autant plus insupportable qu'elle est parfaitement crédible, d'une logique imparable, même. Une fois apparue, elle se montre tenace.

G. est la seule personne autour de nous que je n'ai jamais soupçonnée d'avoir pu écrire cette série de lettres anonymes. Leur fréquence, leur indiscrétion ont conféré aux débuts de notre histoire d'amour un caractère si dangereux, si romanesque : seuls contre tous, unis contre la haine des honnêtes gens, il nous avait fallu braver les soupçons de la police, nous soustraire à son regard inquisiteur, mais aussi suspecter tout mon entourage, devenu un unique ennemi, un monstre muni de mille paires d'yeux jaloux braqués sur nous. À qui mieux qu'à G. ces lettres avaient-elles profité ? Après nous avoir soudés l'un à l'autre mieux que la haine entre deux familles siciliennes, après m'avoir définitivement éloignée de toute personne un tant soit peu critique vis-à-vis de lui, G. pourrait même les recycler dans son prochain roman, puis les publier en intégralité dans son journal (il ne manquerait pas de le faire, d'ailleurs). Certes, le jeu était dangereux. Il risquait tout de même la prison. Mais cela en valait la peine, quel rebondissement, quel coup de théâtre, quelle matière pour une œuvre littéraire ! En cas d'arrestation, il pouvait compter sur ma fougue pour hurler mon amour, réclamer à cor et à cri le mariage dans un pays plus tolérant, exiger mon émancipation, alerter les officiels et les célébrités pour défendre notre cause... Quel panache cela aurait eu ! Au lieu de cela, les policiers s'étaient révélés moins suspicieux que prévu, les honnêtes gens avaient repris le cours de leur vie sans plus se soucier de la « petite V. », et les rares accès d'indignation s'étaient progressivement estompés autour de nous. En y réfléchissant bien, il me semblait maintenant, avec une évidence peut-être trompeuse, que c'est à cette période précise, lorsque la police lui avait enfin lâché la bride, que l'ennui, et un début de désintérêt pour notre histoire, tout d'abord imperceptibles, s'étaient insinués en lui.

Une fois, une toute petite fois, je me hasarde à lui poser une question qui jusque-là ne m'avait jamais traversé l'esprit. Cette question insolite s'est imposée malgré mon jeune âge, à moins que ce ne soit précisément *en raison* de ma jeunesse. Maintenant qu'elle est là à s'agiter en moi, je m'y accroche comme à une bouée de sauvetage, parce qu'elle me laisse l'espérance de me reconnaître un peu en G. Cette question, aussi délicate soit-elle, je dois la lui poser sans baisser les yeux, sans trembler, sans reculer.

C'est un moment d'intimité et de calme que nous partageons, allongés l'un à côté de l'autre dans la chambre de notre hôtel de réprouvés. Un moment sans dispute, sans griefs, sans larmes ni portes qui claquent. Quelque chose de triste s'est installé entre nous. La certitude que la fin approche, l'épuisement de nous déchirer sans cesse. Tandis que G. passe sa main dans mes cheveux, je me lance.

Y a-t-il eu, dans son enfance ou son adolescence, un adulte qui ait joué pour lui aussi ce rôle d'« initiateur » ? Volontairement, je me garde bien de prononcer des mots tels que « viol », « abus » ou « agression » sexuels.

À ma grande surprise, G. m'avoue alors que oui, il y a bien eu quelqu'un, une fois, quand il avait treize ans, un homme, proche de sa famille. Il n'y a aucun affect dans cette révélation. Pas la moindre émotion. Et je ne crois pas me tromper en écrivant qu'on ne trouve aucune trace non plus de ce souvenir dans ses livres. C'est pourtant un élément autobiographique particulièrement éclairant. Comme je m'en étais aperçue à mes dépens, la démarche littéraire de G. avait toujours eu pour but de tordre la réalité de la manière la plus flatteuse à son égard. Jamais de dévoiler la moindre parcelle de vérité sur lui-même. Ou alors avec trop de complaisance pour prétendre à une véritable honnêteté. Cet infime moment de sincérité, ces mots inattendus qui circulent entre nous, c'est un cadeau qu'il me fait sans le savoir. Je redeviens une personne à part entière, je ne suis plus seulement l'objet de son plaisir, je suis celle qui détient une parcelle secrète de son histoire, celle qui peut l'entendre peut-être, sans le juger.

Celle qui peut le comprendre mieux que quiconque.

La présence bienveillante et les attentions de Youri, quelques rares amis fidèles dont je m'étais pourtant éloignée depuis plus de deux ans et avec lesquels je renoue timidement, l'envie d'aller danser et rire avec ceux de mon âge, commencent à l'emporter sur l'emprise de G. Les liens se desserrent, et la jungle du royaume maléfique laisse place à un autre monde où, contre toute attente, le soleil brille et n'attend que moi pour que la fête commence. G. est parti pour un mois. Il doit avancer dans l'écriture de son nouveau livre. À Manille, il n'aura aucune distraction, m'a-t-il juré hypocritement. Youri me presse chaque jour de quitter G., mais impossible de l'affronter avant son départ. De quoi ai-je peur ? Je profite de son absence pour lui écrire. Notre histoire finira comme elle a débuté : par lettre interposée. Au fond de moi, je sens qu'il attend cette rupture. Qu'il la souhaite, même. Un stratège hors pair, je l'ai dit.

Pourtant, c'est tout l'inverse qui se produit. À son retour des Philippines, ma lettre, écrit-il, le dévaste. Il ne comprend pas. Je l'aime encore, chacun des mots que j'emploie trahit mes sentiments. Comment puis-je tirer un trait sur notre histoire, la plus belle, la plus pure qui soit ? Il me harcèle de coups de téléphone, de lettres, me guette de nouveau dans la rue. Ma décision de rompre le révolte. Il n'aime que moi. Aucune autre fille n'existe. Quant aux Philippines, il jure y avoir été d'une chasteté irréprochable. Mais il ne s'agit plus de cela. Je me contrefous de lui et de ses frasques. C'est ma rédemption que je recherche, pas la sienne.

Quand j'annonce à ma mère que j'ai quitté G., elle reste d'abord sans voix, puis me lance d'un air attristé : « Le pauvre, tu es sûre ? Il t'adore ! »

V.

L'empreinte

« Il est curieux qu'un premier amour, si, par la fragilité qu'il laisse à notre cœur, il fraye la voie aux amours suivantes, ne nous donne pas du moins, par l'identité même des symptômes et des souffrances, le moyen de les guérir. »

Marcel PROUST, *La Prisonnière*

De guerre lasse, G. a cessé de me poursuivre avec ses lettres, ses appels chez ma mère, qu'il suppliait jusque-là, à toute heure du jour et de la nuit, de m'empêcher de couper les ponts avec lui.

Youri a pris sa place dans ma vie. Il m'a donné le courage de rompre et de résister aux tentatives effrénées de G. pour me faire revenir sur ma décision. J'ai seize ans et me suis installée chez Youri qui partage encore un petit appartement avec sa mère. La mienne ne s'y est pas opposée. Nos relations ne sont pas au beau fixe. Régulièrement, je lui reproche de ne pas m'avoir suffisamment protégée. Elle me répond que mon ressentiment est injuste, qu'elle n'a fait que respecter mes désirs, me laisser vivre ma vie comme je l'entendais.

— C'est toi qui couchais avec lui et c'est moi qui devrais m'excuser ? me lance-t-elle un jour.

— Et le fait d'être quasiment déscolarisée, d'avoir manqué à plusieurs reprises d'être expulsée de mon collège, c'est tout de même un symptôme ! Tu aurais pu t'en apercevoir, non, que tout n'allait pas pour le mieux dans le meilleur des mondes ?

Mais le dialogue est impossible. En toute logique, si elle a accepté ma relation avec G., c'est qu'elle me considérait déjà comme une adulte. Par conséquent, c'est à moi seule d'assumer mes choix.

Dorénavant, je n'ai plus qu'un souhait, reprendre une vie normale, une vie d'adolescente de mon âge, ne surtout pas faire de vagues, être comme tout le monde. Les choses devraient être plus faciles à présent. Je suis maintenant au lycée. Je vais retourner en cours, ne pas faire attention aux regards en coin de certains élèves, me foutre de la rumeur qui commence à courir chez les profs, « Eh, t'as vu, cette fille qui vient d'entrer en seconde, il paraît que G.M. venait la chercher tous les jours à la sortie du bahut, c'est les collègues de Prévert qui me l'ont dit... Tu te rends compte, et les parents laissaient faire ! » Un jour, alors que je suis en train de boire un café au comptoir du bistrot où les élèves traînent entre deux cours, un enseignant s'installe à côté de moi. Il m'apprend que je suis un sujet de conversation dans la salle des profs. « C'est toi, la fille qui sortait avec G.M. ? J'ai lu tous ses livres. Je suis un admirateur. »

Il serait tellement jouissif de lui répondre : « Ah, ouais, t'es un gros porc, alors... » Mais bon, il faut que je me fasse bien voir, maintenant. Je souris poliment, je paie et pars en essayant d'oublier son regard concupiscent sur mes seins.

Pas facile de se refaire une virginité.

Un autre jour, un type m'arrête dans une ruelle, aux abords de mon lycée. Il connaît mon prénom. Me raconte qu'il m'a vue plusieurs fois dans le quartier avec G. quelques mois auparavant. Déverse sur moi un tombereau d'obscénités, brode sur tout ce que je dois savoir faire au lit, maintenant, grâce à G. Une vraie héroïne de Sade !

Rien n'excite plus certains vieux messieurs que l'idée d'une jeune fille totalement dépravée.

Je m'enfuis en courant, et arrive en classe en larmes.

Youri fait ce qu'il peut pour contrer mes accès de mélancolie qu'il commence à trouver lourds à porter, d'autant qu'ils lui semblent injustifiés. « Mais, regarde-toi, enfin, tu es jeune, tu as la vie devant toi. Souris ! » Sauf que je ne suis plus qu'une boule de rage qui s'épuise à faire comme si tout allait bien, à donner le change. Cette colère, j'essaie de la taire, je la cache en la redirigeant contre moi. La coupable, c'est moi. La paumée, la pute, la Marie-couche-toi-là, la complice d'un pédophile, qui cautionne avec ses lettres de jeune fille énamourée les charters en partance pour Manille avec à leur bord des salauds qui se branlent sur des photos de boy-scouts. Et quand je ne peux plus masquer toute cette détresse, je sombre dans des états dépressifs en ne souhaitant plus qu'une chose : disparaître de la surface de la terre.

Il n'y a que Youri, peut-être, qui soit capable de le voir. Il m'aime, avec toute la fougue de ses vingt-deux ans, mais ce qu'il aime plus que tout encore, c'est faire l'amour. Comment lui en vouloir ?

À cette époque, à l'égard du sexe, j'oscille entre la toute-puissance et l'aboulie. Je suis tantôt traversée par un sentiment d'ivresse, tout ce pouvoir ! C'est si facile de rendre heureux un homme. Puis soudain, au moment de jouir, je fonds en larmes sans raison apparente. Trop de bonheur, c'est tout ce que je trouve à lui répondre quand il s'inquiète de mes sanglots. Des jours entiers, je ne supporte plus qu'il me touche. Et puis le cycle infernal repart, je me rappelle ma mission dans ce bas monde, donner du plaisir aux hommes. C'est ma condition, mon statut. Alors j'offre à nouveau mes services, avec zèle et une conviction feinte dont j'arrive à me persuader moi-même. Je fais semblant. Semblant d'aimer faire l'amour, semblant d'y prendre du plaisir, de savoir à quoi riment tous ces gestes. Au fond de moi, j'ai honte de les exécuter avec autant de naturel, quand d'autres n'en sont qu'à leurs premiers baisers. Je sens bien que j'ai sauté une étape. Je suis allée trop vite, trop tôt, pas avec la bonne personne. Tous ces moments d'intimité, j'aurais préféré les vivre avec Youri pour la première fois. Qu'il ait été, lui, mon initiateur, mon premier amant, mon premier amour. Je n'ose pas l'avouer. Je n'ai pas encore assez confiance en moi, en lui.

Et surtout, je ne peux pas lui dire que l'image impossible à chasser, chaque fois que je fais l'amour avec lui, c'est celle de G.

G. avait pourtant promis de me laisser le plus merveilleux des souvenirs.

Pendant des années, aussi attentionnés que soient les garçons avec lesquels j'essaierai d'avoir des relations sexuelles sans nuage, je ne parviendrai pas à reprendre là où nous nous étions arrêtés, Julien et moi : à retrouver ce moment de découverte innocente et de plaisir partagé, d'égal à égal.

Plus tard, avec un peu plus de maturité et de courage, j'opterai pour une stratégie différente :

dire toute la vérité, avouer que je me sens comme une poupée sans désir, qui ignore comment fonctionne son propre corps, qui n'a appris qu'une seule chose, être un instrument pour des jeux qui lui sont étrangers.

Chaque fois, la révélation se soldera par une rupture. Personne n'aime les jouets cassés.

En 1974, soit douze ans avant notre rencontre, G. publie un essai intitulé *Les Moins de seize ans*, sorte de manifeste en faveur de la libération sexuelle des mineurs qui fait scandale, en même temps qu'il lui apporte la célébrité. Avec ce pamphlet hautement corrosif, G. ajoute à son œuvre une dimension sulfureuse qui accroît l'intérêt porté à son travail. Considéré par ses amis comme un suicide social, c'est au contraire ce texte qui lancera sa carrière littéraire en le faisant connaître du grand public.

Je ne l'ai lu et n'en ai compris la portée que bien des années après notre séparation.

G. y défend notamment la thèse selon laquelle l'initiation sexuelle des jeunes personnes par un aîné serait un bienfait que la société devrait encourager. Cette pratique, d'ailleurs répandue sous l'Antiquité, serait le gage de la reconnaissance d'une liberté de choix et de désir des adolescents.

« Les très jeunes sont tentants. Ils sont aussi tentés. Je n'ai jamais arraché ni par la ruse ni par la force le moindre baiser, la moindre caresse », y écrit G. Il oublie cependant toutes les fois où ces baisers et ces caresses ont été monnayés, dans des pays peu tatillons sur la prostitution des mineurs. À en croire la description qu'il en fait dans ses carnets noirs, on pourrait même penser que les enfants philippins se jettent sur lui par pure gourmandise. Comme sur une grosse glace à la fraise. (À l'inverse de tous ces petits bourgeois occidentaux, à Manille, les enfants, eux, sont libérés.)

Les Moins de seize ans milite pour une complète libéralisation des mœurs, une ouverture des esprits qui autoriseraient enfin l'adulte à jouir non pas « de » l'adolescent, bien sûr, mais « avec » lui. Beau projet. Ou sophisme de la pire espèce ? Que ce soit dans cet ouvrage, ou dans la pétition que G. publiera trois ans plus tard, lorsqu'on y regarde vraiment de près, ce ne sont pas les intérêts des adolescents qu'il défend. Mais bien ceux des adultes « injustement » condamnés pour avoir eu des relations sexuelles avec eux.

Le rôle de bienfaiteur qu'aime se donner G. dans ses livres consiste en une initiation des jeunes personnes aux joies du sexe par un professionnel, un spécialiste émérite, bref, osons le mot, par un *expert*. En réalité, cet exceptionnel talent se borne à ne pas faire souffrir sa partenaire. Et lorsqu'il n'y

162

a ni souffrance ni contrainte, c'est bien connu, il n'y a pas de viol. Toute la difficulté de l'entreprise consiste à respecter cette règle d'or, sans jamais y déroger. Une violence physique laisse un souvenir contre lequel se révolter. C'est atroce, mais solide.

L'abus sexuel, au contraire, se présente de façon insidieuse et détournée, sans qu'on en ait clairement conscience. On ne parle d'ailleurs jamais d'« abus sexuel » entre adultes. D'abus de « faiblesse », oui, envers une personne âgée, par exemple, une personne dite *vulnérable*. La *vulnérabilité*, c'est précisément cet infime interstice par lequel des profils psychologiques tels que celui de G. peuvent s'immiscer. C'est l'élément qui rend la notion de consentement si tangente. Très souvent, dans les cas d'abus sexuel ou d'abus de faiblesse, on retrouve un même déni de réalité : le refus de se considérer comme une victime. Et, en effet, *comment admettre qu'on a été abusé, quand on ne peut nier avoir été consentant ?* Quand, en l'occurrence, on a ressenti du désir pour cet adulte qui s'est empressé d'en profiter ? Pendant des années, je me débattrai moi aussi avec cette notion de victime, incapable de m'y reconnaître.

La puberté, l'adolescence, G. a raison sur ce point, sont des moments de sensualité explosive : le sexe est dans tout, le désir déborde, vous envahit, s'impose comme une vague, doit trouver satisfaction sans délai, et n'attend qu'une rencontre pour être partagé.

Mais certains écarts sont irréductibles. Malgré toute la bonne volonté du monde, un adulte reste un adulte. Et son désir un piège dans lequel il ne peut qu'enfermer l'adolescent. Comment l'un et l'autre pourraient-ils être au même niveau de connaissance de leur corps, de leurs désirs ? De plus, un adolescent vulnérable recherchera toujours l'amour *avant* sa satisfaction sexuelle. Et en échange des marques d'affection (ou de la somme d'argent qui manque à sa famille) auxquelles il aspire, il acceptera de devenir un objet de plaisir, renonçant ainsi pour longtemps à être sujet, acteur, et maître de sa sexualité.

Ce qui caractérise les prédateurs sexuels en général, et les pédocriminels, en particulier, c'est bien le déni de la gravité de leurs actes. Ils ont coutume de se présenter soit comme des victimes (*séduites* par un enfant, ou une femme aguicheuse), soit comme des bienfaiteurs (qui n'ont fait que du *bien* à leur victime).

Dans *Lolita*, le roman de Nabokov, que j'ai lu et relu après ma rencontre avec G., on assiste au contraire à des aveux confondants. Humbert Humbert écrit sa confession du fin fond de l'hôpital psychiatrique où il ne tardera pas à mourir, peu avant son procès. Et il est loin d'être tendre avec lui-même.

Quelle chance pour Lolita d'obtenir au moins cette réparation, la reconnaissance sans ambiguïté de la culpabilité de son beau-père, par la voix même de celui qui lui a dérobé sa jeunesse. Dommage qu'elle soit déjà morte au moment de cette confession.

J'entends souvent dire, par ces temps de prétendu « retour au puritanisme », qu'un ouvrage comme celui de Nabokov, publié aujourd'hui, se heurterait nécessairement à la censure. Pourtant, il me semble que *Lolita* est tout sauf une apologie de la pédophilie. C'est au contraire la condamnation la plus forte, la plus efficace qu'on ait pu lire sur le sujet. J'ai toujours douté d'ailleurs que Nabokov ait pu avoir été pédophile. Évidemment, cet intérêt persistant pour un sujet aussi subversif – auquel il s'est attelé deux fois, la première dans sa langue natale, sous le titre de *L'Enchanteur*, puis, bien des années plus tard, en anglais, avec cette *Lolita* iconique au succès planétaire – a de quoi éveiller les soupçons. Que Nabokov ait lutté contre certains penchants, peut-être. Je n'en sais rien. Pourtant, malgré toute la perversité inconsciente de Lolita, malgré ses jeux de séduction et ses minauderies de starlette, jamais Nabokov n'essaie de faire passer Humbert Humbert pour un bienfaiteur, et encore moins pour un type bien. Le récit qu'il fait de la passion de son personnage pour les nymphettes, passion irrépressible et maladive qui le torture tout au long de son existence, est au contraire d'une lucidité implacable.

Dans les ouvrages de G., on est loin de toute contrition, et même de tout questionnement. Pas une trace de regret, aucun remords. À le lire, il aurait presque été mis au monde pour apporter aux adolescents l'épanouissement qu'une culture étriquée leur dénie, les ouvrir à eux-mêmes, révéler leur sensualité, développer leur capacité à donner et à *se* donner.

Tant d'abnégation mériterait une statue au jardin du Luxembourg.

Avec G., je découvre à mes dépens que les livres peuvent être un piège dans lequel on enferme ceux qu'on prétend aimer, devenir l'instrument le plus contondant de la trahison. Comme si son passage dans mon existence ne m'avait pas suffisamment dévastée, il faut maintenant qu'il documente, qu'il falsifie, qu'il enregistre et qu'il grave pour toujours ses méfaits.

La réaction de panique des peuples primitifs devant toute capture de leur image peut prêter à sourire. Ce sentiment d'être piégé dans une représentation trompeuse, une version réductrice de soi, un cliché grotesque et grimaçant, je le comprends pourtant mieux que personne. S'emparer avec une telle brutalité de l'image de l'autre, c'est bien lui voler son âme.

Entre mes seize et vingt-cinq ans, paraissent successivement en librairie, à un rythme qui ne me laisse aucun répit, un roman de G. dont je suis censée être l'héroïne ; puis le tome de son journal qui couvre la période de notre rencontre, comportant certaines de mes lettres écrites à l'âge de quatorze ans ; avec deux ans d'écart, la version poche de ce même livre ; un recueil de lettres de rupture, dont la mienne ; sans compter les articles de journaux ou les interviews télévisées dans lesquels il se gargarise de mon prénom. Plus tard, suivra encore un autre tome de ses carnets noirs revenant de façon obsessionnelle sur notre séparation.

Chacune de ces parutions, quel que soit le contexte dans lequel je les découvre (il se trouve toujours une personne bien intentionnée pour me le faire savoir), confine au harcèlement. Pour le reste du monde, c'est un battement d'ailes de papillon sur un lac paisible, pour moi c'est un tremblement de terre, des secousses invisibles qui renversent toutes les fondations, une lame de couteau plantée dans une blessure jamais cicatrisée, cent pas en arrière dans les progrès que je crois avoir faits dans la vie.

La lecture du tome de son journal consacré en grande partie à notre rupture provoque chez moi une crise d'angoisse phénoménale. G. instrumentalise désormais notre relation en l'étalant au grand jour à travers le prisme le plus avantageux pour lui. Son entreprise de lavage de cerveau est machiavélique. Dans ce journal, il a transformé notre histoire en fiction parfaite. Celle du libertin reconverti en saint, celle du pervers guéri, celle de l'infidèle qui s'est acheté une conduite, fiction écrite mais jamais vécue, publiée avec le décalage qu'il se doit, c'est-à-dire le temps que la vie se soit dûment dissoute dans le roman. Moi je suis la traîtresse, celle qui a ruiné cet amour idéal, celle qui a tout gâché en refusant d'accompagner cette métamorphose. Celle qui n'a pas voulu *croire* à cette fiction.

Je suis sidérée par son refus de voir que cet amour portait en lui son propre échec, dès la première minute, qu'il n'avait aucun avenir possible puisque G. ne pouvait aimer en moi qu'un moment fugace et transitoire : mon adolescence.

Je lis ces pages d'une traite, dans un état second, une transe mêlée d'impuissance et de colère, horrifiée par tant de mensonges et de mauvaise foi, par une telle propension à se victimiser et à se dédouaner de toute culpabilité. Je termine les derniers chapitres en apnée, comme si des forces invisibles appuyaient en même temps sur mon plexus et ma gorge. Toute mon énergie vitale a déserté mon corps, absorbée par l'encre de ce livre abject. Seule une piqûre de Valium a raison de la crise.

Ce que je découvre aussi, c'est que malgré mon refus absolu de reprendre contact avec lui, G. continue insidieusement à se tenir informé de mon sort. Par qui, je n'en sais rien. Dans certaines pages de son journal, il insinue même que depuis notre rupture je suis sous l'influence d'un drogué qui me fera bientôt plonger dans la plus sinistre déchéance, comme il me l'a prédit lorsque je l'ai quitté. Lui, mon protecteur, a pourtant tout tenté pour me détourner des dangers inhérents à mon jeune âge.

Ainsi G. justifie-t-il son rôle dans la vie des adolescentes qu'il parvient à séduire. Il les empêche de devenir des paumées, des rebuts de la société. Tant de pauvres filles perdues à qui il a tenté de sauver la vie, en vain !

À cette époque, personne ne me dit que je pourrais porter plainte, attaquer son éditeur, qu'il n'a pas le droit de publier mes lettres sans mon consentement, ni d'étaler la vie sexuelle d'une mineure au moment des faits, rendue reconnaissable, outre par son prénom et l'initiale de son nom, par mille autres petits détails. Pour la première fois, je commence à me sentir victime, sans parvenir à mettre ce mot sur un état diffus d'impuissance. J'ai aussi le vague sentiment de n'avoir pas seulement assouvi ses pulsions sexuelles durant tout notre relation, mais de lui servir maintenant de faire-valoir, en permettant malgré moi qu'il continue à répandre sa propagande littéraire.

Après la lecture de ce livre, j'ai le sentiment profond d'une existence gâchée avant d'avoir été vécue. Mon histoire y est biffée d'un trait de plume, consciencieusement effacée, puis révisée, réécrite noir sur blanc, tirée à des milliers d'exemplaires. Quel rapport peut-il bien y avoir entre ce personnage de papier créé de toutes pièces et ce que je suis en réalité ? M'avoir transformée en personnage de fiction, alors que ma vie d'adulte n'a pas encore pris forme, c'est m'empêcher de déployer mes ailes, me condamner à rester figée dans une prison de mots. G. ne peut l'ignorer. Mais je suppose qu'il s'en moque éperdument.

Il m'a immortalisée, de quoi pourrais-je me plaindre ?

Les écrivains sont des gens qui ne gagnent pas toujours à être connus. On aurait tort de croire qu'ils sont comme tout le monde. Ils sont bien pires.

Ce sont des vampires.

C'en est fini, pour moi, de toute velléité littéraire.

J'arrête de tenir mon journal.

Je me détourne des livres.

Plus jamais je n'envisage d'écrire.

Comme c'était prévisible, tous mes efforts pour reprendre pied échouent. Les crises d'angoisse reviennent au galop. Je sèche de nouveau les cours un jour sur deux. Après deux conseils de discipline pour absentéisme, la proviseure de mon lycée, une femme qui s'est jusqu'ici montrée d'une étonnante bienveillance, me convoque dans son bureau.

— Je suis désolée, V., mais malgré toute ma bonne volonté, je ne vais pas pouvoir continuer à vous soutenir. Les profs vous ont prise en grippe. Par vos absences répétées, vous récusez leur autorité, vous leur déniez leur rôle. (Ils n'ont pas tort, ce que je pense des adultes est encore au-delà de ce qu'ils s'imaginent.) En plus de cela, vous donnez le mauvais exemple. Certains élèves commencent à vous imiter. Il faut mettre fin à cette situation.

Pour éviter l'expulsion de mon lycée, qui serait inscrite sur mon dossier et ferait mauvais effet, elle me propose de « démissionner » de mon propre chef pour « raisons personnelles » et de passer mon bac en candidat libre. Après tout, la scolarité n'est obligatoire que jusqu'à seize ans.

— Vous allez y arriver, V. Je ne me fais aucun souci à ce sujet.

Je n'ai pas le choix, j'accepte. J'ai l'habitude de vivre hors des sentiers battus, sans cadre ni structure. Et maintenant, sans plus aucune contrainte des horaires de lycée. Qu'à cela ne tienne. Mon année de terminale, je la ferai au café, en lisant les cours du CNED reçus par correspondance.

Je passe mes soirées à danser et à m'étourdir. Fais parfois de mauvaises rencontres, mais n'en garde aucun souvenir. Je quitte Youri à qui je ne supporte plus de faire subir mon mal-être, et rencontre un autre garçon, intelligent et tendre mais sacrément cabossé par la vie, un qui comme moi souffre en silence, et n'a trouvé que les paradis artificiels pour chasser son spleen. Je l'imite. Oui, je file un mauvais coton, G. a raison. Il a fait de moi une quasi aliénée. J'essaie de coller au personnage.

C'est arrivé sans prévenir, presque du jour au lendemain. Je marchais le long d'une rue déserte avec une question dérangeante qui tournait en boucle dans ma tête, une question qui s'était immiscée plusieurs jours auparavant dans mon esprit, sans que je puisse la chasser : quelle preuve tangible avais-je de mon existence, étais-je bien réelle ? Pour en être certaine, j'avais commencé par ne plus manger. À quoi bon m'alimenter ? Mon corps était fait de papier, dans mes veines ne coulait que de l'encre, mes organes n'existaient pas. C'était une fable. Au bout de plusieurs jours de jeûne, j'avais ressenti les premiers effets de cette euphorie qui remplace la faim. Et une légèreté que je n'avais encore jamais connue. Je ne marchais plus, je glissais sur le sol, et si j'avais battu des bras, je me serais sans doute envolée. Je ne ressentais aucun manque, pas la moindre crampe d'estomac, pas le moindre appel des sens devant une pomme ou un morceau de fromage. Je n'appartenais plus au monde matériel.

Et puisque mon corps résistait déjà à l'absence d'aliments, pourquoi aurait-il besoin de sommeil ? Du crépuscule à l'aube, je gardais les yeux ouverts. Plus rien ne venait interrompre la continuité entre le jour et la nuit. Jusqu'à ce soir-là, où je suis allée vérifier dans le miroir de la salle de bains que mon reflet y était encore. Curieusement, oui, il était toujours là, mais ce qui était nouveau, et fascinant, c'était de voir désormais au travers.

J'étais en train de me volatiliser, de m'évaporer, de disparaître. Sensation atroce, comme un arrachement au règne des vivants, mais au ralenti. Une fuite de l'âme par tous les pores de la peau. Je me suis mise à errer dans les rues la nuit entière, en quête d'un signe. D'une preuve de vie. Autour de moi, la ville, brumeuse, féerique, se muait en décor de cinéma. Si je levais les yeux, les grilles du jardin public auxquelles je faisais face semblaient se mouvoir toutes seules, tournaient à la façon d'une lanterne magique, au rythme de trois ou quatre images par seconde, comme un battement de cils lent et régulier. Quelque chose en moi se rebellait encore, j'avais envie de hurler : Il y a quelqu'un ?

Deux personnes ont alors fait irruption sous un porche d'immeuble. Elles portaient de lourdes couronnes de fleurs mortuaires à bout de bras. Leurs lèvres bougeaient, j'entendais le son de leur voix qui s'adressait à moi, pourtant je ne distinguais aucun sens intelligible dans leurs paroles. Quelques secondes auparavant, je pensais que le spectacle d'êtres vivants m'aiderait à me raccrocher au réel, mais c'était encore pire qu'avec le paysage immobile de la ville endormie. L'espace d'un instant, si fugace que j'aurais aussi bien pu l'avoir rêvé, je leur ai lancé comme pour me rassurer :

— Excusez-moi, vous avez l'heure ?

— Il n'y a pas d'heure pour les lâches, m'a répondu l'un d'eux, le dos courbé par le poids de la couronne dont les couleurs luminescentes irradiaient à son bras. Mais peut-être avait-il dit plutôt : Il n'y a pas d'heure pour les larmes ?

Une tristesse écrasante a fondu sur moi.

J'ai regardé mes mains et je pouvais voir, en transparence, squelette, nerfs, tendons, chair et même cellules grouiller sous ma peau. N'importe qui aurait pu voir au travers de mon corps. Je n'étais plus qu'un amas de photons poudreux. Tout était faux autour de moi et je ne faisais pas exception.

Une camionnette de police a surgi du coin de la rue. Deux hommes en uniforme en sont sortis. L'un d'eux s'est approché de moi.

— Mais qu'est-ce que vous faites, comme ça, à tourner depuis une heure autour de ce jardin ? Vous êtes perdue ?

Comme j'étais en larmes, et que je reculais, effrayée, l'homme est retourné vers son collègue, a farfouillé à l'avant du véhicule, est revenu vers moi un sandwich à la main.

— Vous avez faim ? Tenez, mangez ça.

Je n'osais plus bouger. C'est alors qu'il a ouvert les portes arrière de la fourgonnette en criant :

— Venez vous réchauffer à l'intérieur !

Son ton se voulait rassurant, mais tandis qu'il me désignait une des deux banquettes latérales, ce que j'y ai vu, c'était une chaise électrique qui n'attendait que moi.

Depuis combien de temps avais-je perdu trace de moi-même ? Pourquoi avais-je accumulé autant de culpabilité, au point de croire que je méritais la « peine de mort » ? Je n'en avais pas la moindre idée. Du moins, c'est ce qu'il m'a semblé, lorsqu'au petit matin, je me suis retrouvée dans cet hôpital sinistre où un professeur barbu, et de toute évidence révéré par les internes qui l'écoutaient tel le messie, m'interrogeait, une caméra posée dans le fond de la pièce, sur l'expérience que je venais de traverser et qui m'avait conduite là, dans ce triste refuge de fous ambulants, délirants, anorexiques, suicidaires, prostrés.

— Mademoiselle, vous venez de vivre un épisode psychotique, avec une phase de dépersonnalisation, a lâché l'homme à la barbe. Ne faites pas attention à la caméra. Racontez-moi plutôt comment vous en êtes arrivée là.

— Alors tout ça, c'est vrai ? Je ne suis pas... une *fiction* ?

Il me semble avoir vécu, depuis, tant d'existences différentes, si fragmentées que j'ai du mal à trouver le moindre lien entre elles. Ce qui est derrière moi est infiniment loin. Un vague souvenir émerge parfois de cette période, pour s'évanouir aussitôt. Je n'en finis pas de me reconstruire, comme on dit. Mais il faut croire que je m'y prends mal. La faille reste béante.

Alors je me soigne comme je peux. Des années de « cure par la parole ». D'abord avec un psychanalyste qui me sauve la vie. Ne voit aucun problème à ce que je renonce aux médicaments prescrits par l'hôpital. M'aide à reprendre des études, malgré une année « blanche » après l'obtention de mon bac.

Un miracle : par l'entremise d'un ami, qui a plaidé ma cause auprès de la proviseure de mon ancien lycée, celle-ci a accepté de me reprendre en classe préparatoire. Je ne les remercierai jamais assez, l'un comme l'autre. Je me remets sur des rails, mais je me sens comme une page blanche. Vide. Sans consistance. Et toujours marquée au fer rouge. Pour essayer de m'intégrer à nouveau, de vivre une vie normale, je porte un masque, je me cache, je me terre.

Deux ou trois vies plus tard, même prénom, même nom, même visage, bien sûr, mais cela a si peu d'importance. Par période de deux ou trois ans, je refais ma vie de fond en comble. Je change d'amant et d'amis, de métier, de style vestimentaire, de couleur de cheveux, de façon de parler, je change même de pays.

Lorsqu'on sonde mon passé, quelques images tremblées surgissent d'un épais brouillard sans jamais prendre forme. Je ne cherche à laisser ni trace ni empreinte. L'enfance, l'adolescence, je n'en ai aucune nostalgie. Je flotte au-dessus de moi-même, jamais là où il faut. Je ne sais pas qui je suis, ni ce que je veux. Je me laisse porter. J'ai la sensation d'avoir vécu mille ans.

Je ne parle jamais de « ma première fois ». Et toi, c'était à quel âge, avec qui ? Ah, ah, si tu savais…

J'ai quelques amis très proches, témoins de mon histoire, qui n'abordent que très rarement cette période de ma vie avec moi. Le passé est le passé. On a tous une histoire à surmonter. La leur n'est pas toujours simple non plus.

Depuis, j'ai connu beaucoup d'hommes. Les aimer n'était pas difficile, leur faire confiance, c'est une autre histoire. Toujours sur la défensive, je leur ai souvent prêté des intentions qu'ils n'avaient pas : m'utiliser, me manipuler, me tromper, ne songer qu'à eux.

Chaque fois qu'un homme tentait de me donner du plaisir, voire, pire encore, de prendre du plaisir à travers moi, il me fallait toujours lutter contre une forme de dégoût, tapie dans l'ombre, prête à fondre sur moi, contre une violence symbolique que je plaquais sur des gestes qui en étaient dénués.

Il m'en aura fallu du temps pour me laisser aller avec un homme, sans l'aide d'alcool ou de psychotropes. Pour accepter sans arrière-pensée de m'abandonner à un autre corps, les yeux fermés. Pour retrouver le chemin de mon propre désir.

Il m'aura fallu du temps, des années, pour enfin rencontrer un homme avec qui je me sente pleinement en confiance.

VI.

Écrire

« Le langage a toujours été une chasse gardée.
Qui possède le langage possédera le pouvoir. »

Chloé DELAUME, *Mes bien chères sœurs*

J'ai exercé toutes sortes d'activités avant d'être rattrapée par le monde de l'édition. L'inconscient est fabuleusement retors. On n'échappe pas à son déterminisme. Après m'en être détournée pendant de longues années, les livres sont redevenus des amis. J'en fais mon métier. C'est ce que je connais de mieux, les livres, après tout.

J'essaie sans doute, à tâtons, de réparer quelque chose. Mais quoi ? Comment ? Je mets mon énergie au service de textes écrits par d'autres. Inconsciemment, je cherche encore des réponses, des morceaux épars de mon histoire. J'attends qu'ainsi l'énigme se résolve. Où est passée la « petite V. » ? Quelqu'un l'a vue quelque part ? Parfois une voix ressurgit des profondeurs et me souffle : « Les livres sont des mensonges. » Je ne l'écoute plus, comme si on avait effacé ma mémoire. De temps à autre, un éclair. Un détail, ici ou là. Je pense, oui, c'est ça, c'est peut-être un petit morceau de moi, entre ces lignes, derrière ces mots. Alors, je glane. Je collecte. Je me reconstitue. Certains livres sont d'excellents médicaments. Je l'avais oublié.

Quand je crois être enfin libre, G. retrouve toujours ma trace, pour tenter de raviver son emprise. J'ai beau être adulte, dès qu'on prononce le nom de G. devant moi, je me fige et redeviens l'adolescente que j'étais au moment où je l'ai rencontré. J'aurai quatorze ans pour la vie. C'est écrit.

Un jour, ma mère me transmet une des lettres qu'il continue d'envoyer chez elle, ne sachant pas où j'habite. Mon silence, mon refus de tout contact avec lui ne le découragent jamais. Dans ce courrier, avec un culot incroyable, il me demande l'autorisation de publier des photos de moi dans une biographie qu'un de ses admirateurs s'apprête à faire paraître chez un éditeur belge. Un de mes amis, avocat, lui répond de ma part une lettre comminatoire. À partir de cette date, si G. persiste, d'une manière ou d'une autre, à utiliser mon nom ou mon image dans le cadre d'un ouvrage littéraire, il s'exposera à des poursuites judiciaires. G. ne revient pas à la charge. Je suis enfin à l'abri. Pour un temps.

À peine quelques mois plus tard, je découvre que G. possède un site internet officiel, sur lequel on trouve, outre la chronologie de sa vie et de son œuvre, des photos de quelques-unes de ses conquêtes, parmi lesquelles deux clichés de moi à l'âge de quatorze ans, avec en guise de légende, cette initiale, V., qui résume désormais mon identité (au point que je signe inconsciemment tous mes mails de cette manière).

Le choc est insupportable. J'appelle mon ami avocat qui me recommande une de ses collègues, plus expérimentée en matière de droit à l'image. Nous demandons un constat d'huissier qui me coûte déjà une somme substantielle. Mais, au terme d'une longue recherche, ma nouvelle conseillère m'apprend qu'il n'y a malheureusement pas grand-chose à faire. Le site n'est pas enregistré au nom de G., mais sous celui d'un webmaster domicilié quelque part en Asie.

— G.M. s'est parfaitement débrouillé pour qu'on ne puisse lui attribuer la propriété du contenu qui se trouve hébergé par son prête-nom, hors de toute réglementation française. Juridiquement, le site est l'œuvre d'un fan, rien de plus. C'est d'un cynisme absolu, mais c'est imparable.

— Comment un inconnu qui vit en Asie aurait-il pu se procurer des photos de moi à quatorze ans ? Des photos que seul G. possède ? Ça ne tient pas debout !

— Si vous n'avez pas conservé de doubles de ces photos, il sera difficile de prouver qu'il s'agit bien de vous, me répond-elle, sincèrement désolée. Par ailleurs, je me suis renseignée, G. a pris récemment pour avocat un ténor du barreau, un as de la propriété intellectuelle, le plus redouté de tous. Entrer dans une bataille juridique perdue d'avance, qui risque de vous coûter votre santé en plus de votre salaire annuel, est-ce que ça en vaut vraiment la peine ?

J'abandonne, la mort dans l'âme. Une fois encore, c'est lui qui gagne.

L'ironie du hasard veut que je travaille maintenant dans la maison d'édition qui a publié ce texte de G. paru dans les années soixante-dix, ce fameux essai intitulé *Les Moins de seize ans*.

Avant d'être embauchée par cet éditeur, j'ai bien vérifié que les droits du livre n'avaient pas été renouvelés : c'est le cas, mais je n'en connais pas la raison. J'aime me raconter que c'est en vertu d'une réprobation morale. La réalité est peut-être bien plus prosaïque : la raréfaction des amateurs de ce genre de publications, ou leur honte à s'avouer comme tels.

Malheureusement, G. continue à sévir à peu près chez tous les éditeurs de Paris. Et plus de trente ans après notre rencontre, il ne peut s'empêcher de vérifier, encore et toujours, que son emprise opère sur moi. J'ignore comment il a réussi à retrouver ma trace, mais le milieu littéraire est grand comme un mouchoir de poche et les cancans y vont bon train.

Inutile de chercher plus loin. Un matin, j'arrive à mon bureau et découvre un long mail embarrassé de la directrice de la maison d'édition pour laquelle je travaille. Depuis plusieurs semaines, elle est littéralement harcelée par G. qui lui envoie des messages la suppliant de jouer les intermédiaires entre lui et moi.

« Je suis vraiment désolée, V. Ça fait déjà un moment que j'essaie de faire barrage pour ne pas vous importuner avec cette histoire. Mais comme rien ne semble le calmer, je me suis finalement résolue à vous en parler et à vous faire suivre ses mails », m'écrit-elle.

Dans cet échange que je lis transie de honte, G. retrace le cours de notre histoire en le détaillant *in extenso* (au cas où elle n'aurait pas été au courant, et comme si ça la concernait). Outre cette insupportable violation de ma vie privée, son ton est à la fois mielleux et pathétique. Soi-disant au bord de la mort, il lui écrit entre autres fadaises que son plus cher désir est de me revoir, tente de provoquer sa pitié. Atteint d'une grave maladie, il ne pourra quitter cette terre en paix tant qu'il n'aura pas revu mon cher visage, *bla bla bla*... On ne refuse rien à un mourant, *bla bla bla*... C'est pourquoi, il l'en conjure, elle doit à tout prix me transmettre ses messages. Comme si accéder à ses caprices tombait sous le sens.

Ne disposant pas de mon adresse personnelle, il regrette ensuite d'en être réduit à m'écrire sur mon lieu de travail. Un comble ! Hypocritement, il s'étonne aussi que je n'aie pas répondu à un courrier (bien plus d'un, en réalité) qu'il m'a envoyé peu de temps auparavant, et se l'explique par le récent déménagement de nos locaux.

En réalité, j'ai plusieurs fois trouvé les lettres de G. sur mon bureau et les ai systématiquement jetées à la corbeille sans les lire. Pour me forcer à en ouvrir une, il a même fini un jour par faire libeller l'enveloppe par une autre personne afin que je ne puisse pas reconnaître son écriture. De toute façon, le contenu est toujours le même depuis trente ans : mon silence est un mystère. Je dois sans doute me consumer de regrets à l'idée d'avoir détruit une union aussi noble, et de l'avoir tant fait souffrir ! Jamais il ne me pardonnera de l'avoir quitté. Il ne s'excuse de rien. La coupable, c'est moi, coupable d'avoir mis fin à la plus belle histoire d'amour qu'un homme et une adolescente aient pu vivre. Mais quoi que j'en dise, je suis et resterai à lui pour l'éternité, car notre folle passion ne cessera jamais de luire dans la nuit grâce à ses livres.

En réponse au net refus de la directrice littéraire avec laquelle je travaille d'intercéder en sa faveur, une phrase de G. me saute aux yeux : « Non, je ne ferai jamais partie du passé de V., ni elle du mien. »

De nouveau, la colère sourde, la rage et l'impuissance refont surface.

Jamais il ne me laissera en paix.

Devant mon écran d'ordinateur, j'éclate en sanglots.

En 2013, G. fait son grand retour sur la scène littéraire, qui l'avait un peu boudé depuis deux décennies. On lui attribue le prestigieux prix Renaudot pour son dernier essai. Des personnes, que j'estime, n'hésitent pas à louer, publiquement, sur des plateaux de télévision, l'indéniable talent de cette grande figure littéraire. Soit. Là n'est pas la question, il est vrai. Mon expérience personnelle m'interdit de porter un jugement objectif sur son travail, qui ne m'inspire que dégoût. Sur la portée de son œuvre, toutefois, j'aimerais que les réserves qui ont commencé à s'exprimer depuis vingt ans, eu égard à ses agissements comme aux idées qu'il défend dans certains de ses livres, soient davantage entendues.

Une polémique – malheureusement de très faible amplitude – éclate au moment de la remise de ce prix. Quelques trop rares journalistes (jeunes, dans l'ensemble, d'une autre génération que la sienne, et même que la mienne) se sont élevés contre cette distinction honorifique. Quant à G., dans le discours qu'il a prononcé lors de la remise du prix, il a prétendu que celui-ci couronnait non pas un de ses livres, mais l'ensemble de son œuvre, ce qui n'était pas le cas.

« Juger un livre, un tableau, une sculpture, un film non sur sa beauté, sa force d'expression, mais sur sa moralité ou sa prétendue immoralité est déjà une spectaculaire connerie, mais avoir en outre l'idée malsaine de rédiger ou de signer une pétition s'indignant du bel accueil que des gens de goût font à cette œuvre, une pétition dont l'unique but est de faire du tort à l'écrivain, au peintre, au sculpteur, au cinéaste, est une pure dégueulasserie », se défend-il dans la presse.

« Une pure dégueulasserie » ?
Et se taper des « culs frais » à l'étranger, grâce aux droits d'auteur qu'on a amassés en décrivant ses ébats avec des collégiennes, avant de publier sur Internet leurs photos, sans leur consentement et sous couvert d'anonymat, on appelle ça comment ?

Aujourd'hui, alors que je suis moi-même devenue éditrice, j'ai beaucoup de mal à comprendre que de prestigieux professionnels du monde littéraire aient pu publier les volumes du journal de G., comportant les prénoms, les lieux, les dates et tous les détails permettant, du moins pour leur entourage proche, d'identifier ses victimes, sans jamais faire précéder ces ouvrages d'un minimum de prise de distance vis-à-vis de leur contenu. Surtout lorsqu'il est explicitement écrit en couverture que ce texte est le journal de l'auteur, et pas une fiction derrière laquelle ce dernier pourrait habilement se retrancher.

J'ai longtemps réfléchi à cette brèche incompréhensible dans un espace juridique pourtant très balisé, et je n'y vois qu'une seule explication. Si les relations sexuelles entre un adulte et un mineur de moins de quinze ans sont illégales, pourquoi cette tolérance quand elles sont le fait du représentant d'une élite – photographe, écrivain, cinéaste, peintre ? Il faut croire que l'artiste appartient à une caste à part, qu'il est un être aux vertus supérieures auquel nous offrons un mandat de toute-puissance, sans autre contrepartie que la production d'une œuvre originale et subversive, une sorte d'aristocrate détenteur de privilèges exceptionnels devant lequel notre jugement, dans un état de sidération aveugle, doit s'effacer.

Tout autre individu, qui publierait par exemple sur les réseaux sociaux la description de ses ébats avec un adolescent philippin ou se vanterait de sa collection de maîtresses de quatorze ans, aurait

affaire à la justice et serait immédiatement considéré comme un criminel.

En dehors des artistes, il n'y a guère que chez les
prêtres qu'on ait assisté à une telle impunité.

La littérature excuse-t-elle tout ?

Il m'est arrivé deux fois de croiser la jeune femme dont j'avais découvert le prénom dans le fameux carnet noir de G. Nathalie était une des conquêtes que G. avait continué à faire, malgré ses dénégations, pendant notre liaison.

La première fois, c'était dans une brasserie où G. avait ses habitudes. Une table lui était toujours réservée et il m'y emmenait dîner à peine quelques mois plus tôt. J'étais entrée dans ce restaurant pour acheter des cigarettes à une heure tardive, il y avait peu de chances que G. s'y trouve, c'était un vrai bonnet de nuit. Malheureusement, je m'étais trompée. Je l'avais tout de suite repéré, ainsi que la très jeune fille assise en face de lui. J'avais été troublée par l'éclat et la fraîcheur de ce visage. Instantanément, je m'étais sentie vieillie. Je n'avais pas encore seize ans. J'avais rompu depuis moins d'un an.

Cinq ans plus tard, je dois avoir vingt et un ans, alors que je descends le boulevard Saint-Michel en sortant d'un cours à la Sorbonne, une voix me hèle, criant mon prénom à plusieurs reprises depuis le trottoir d'en face. Je me retourne et ne reconnais tout d'abord pas la jeune femme qui agite sa main dans ma direction. Elle traverse en courant, manquant de se faire écraser, me rafraîchit la mémoire, elle s'appelle Nathalie et évoque, un peu gênée, cette brève et douloureuse entrevue d'un soir, dans la fumée d'une brasserie parisienne où G. avait eu la goujaterie de me saluer d'un sourire triomphal. Elle me demande si j'ai le temps de prendre un café. Je ne suis pas certaine d'avoir envie de partager quoi que ce soit avec elle, mais une chose m'intrigue, son visage a perdu ce rayonnement qui m'avait fait si mal, à l'époque, au point de croire ma jeunesse dérobée par la sienne. Je pourrais vaniteusement en retirer de la satisfaction, un sentiment de revanche. Pour se risquer à m'aborder de cette manière, au beau milieu de la rue, alors qu'il y a cinq ans elle était devenue la maîtresse de G. en même temps que je l'étais, il fallait un sacré culot. Je m'aperçois surtout qu'elle n'a vraiment pas l'air d'aller bien. Son visage est rongé par l'angoisse.

Je lui souris et accepte de discuter un moment, malgré son air exalté et un peu inquiétant. Nous nous asseyons et très vite les mots commencent à couler à flots. Nathalie me parle de son enfance, de sa famille disloquée, de son père absent. Comment ne pas me reconnaître ? Même scénario. Même souffrance au bord des lèvres. Puis elle me raconte le mal que lui a fait G., ses manipulations pour l'isoler de sa famille, de ses amis, de tout ce qui constituait sa vie de jeune fille. Elle me rappelle alors la façon qu'avait G. de faire l'amour, tellement mécanique et répétitive. Pauvre petite qui a confondu elle aussi l'amour et le sexe. J'abonde dans son sens, tout me revient, chaque détail, et tandis que les mots se précipitent, je me sens fébrile, pressée de dire moi aussi avec précision à quel point le souvenir de cette expérience reste douloureux.

Nathalie n'arrête pas de parler, de s'excuser, de se mordre la lèvre, de rire nerveusement. Si G. était témoin de cette rencontre, il serait sans doute horrifié, il a toujours fait en sorte d'éviter le moindre contact entre ses maîtresses, de peur sans doute de voir une horde devenue furieuse ourdir une vengeance collective contre lui.

Nous avons toutes les deux l'impression de briser un tabou. Qu'est-ce qui nous lie, nous rapproche, au fond ? Un besoin débordant de nous confier à quelqu'un qui puisse nous comprendre. Et cela me soulage, en effet, moi aussi, de me découvrir solidaire d'une fille qui, quelques années auparavant, n'aurait été qu'une rivale parmi tant d'autres.

Dans ce nouvel élan de sororité, nous tentons de nous rassurer : cet épisode est bel et bien derrière nous, nous pouvons même en rire, sans jalousie, souffrance ni désespoir.

— Dire qu'il se prend pour l'as des as, le meilleur des amants, ce qu'il pouvait être pathétique, en réalité !

Un fou rire s'empare de nous. Et soudain le visage de Nathalie redevient paisible et lumineux. Comme celui que j'avais admiré cinq ans auparavant.

Puis viennent les petits garçons, Manille.

— Tu crois qu'il est homosexuel, en fait ? Ou bien pédophile ? me demande Nathalie.

— Plutôt *éphébophile*. (Je fais des études de lettres et en étudiant je ne sais plus quel auteur, je suis tombée sur ce mot dont je suis très fière.) Ce qu'il aime, c'est l'âge de la puberté, celui auquel il est sans doute resté bloqué lui-même. Il a beau être redoutablement intelligent, son psychisme est celui d'un adolescent. Et quand il est avec des filles toutes jeunes, tu vois, il se sent comme un gamin de quatorze ans lui aussi, c'est pour cette raison sans doute qu'il n'a pas conscience de faire quoi que ce soit de mal.

Nathalie éclate de rire à nouveau.

— Oui, tu as raison, je préfère le voir comme ça. Je me sens tellement sale, parfois. Comme si c'était moi qui avais couché avec ces garçons de onze ans aux Philippines.

— Non, ce n'est pas toi, Nathalie, on n'y est pour rien, nous on est comme ces garçons, il n'y a eu personne pour nous protéger à ce moment-là, on a cru qu'il nous faisait exister, alors qu'il se servait de nous, peut-être sans le vouloir, d'ailleurs, c'est sa pathologie qui veut ça.

— Nous au moins, on est libres de coucher avec qui on veut, pas seulement avec des vieux ! pouffe Nathalie.

J'en avais la preuve, maintenant, je n'étais pas la seule à porter le poids de ma rencontre avec G. Et contrairement à ce qu'il racontait dans ses livres, il ne laissait pas qu'un souvenir ému à ses jeunes maîtresses.

Nous n'avons échangé aucun numéro de téléphone ni quoi que ce soit permettant de nous revoir un jour. Cela n'avait pas lieu d'être. Nous nous sommes enlacées, serrées dans les bras l'une de l'autre, en nous souhaitant bonne route.

Qu'est devenue Nathalie ? J'espère qu'elle a rencontré un garçon de son âge qui l'a aimée avec sa souffrance, l'a débarrassée de sa honte. J'espère qu'elle a gagné ce combat. Mais combien sont-elles aujourd'hui à raser les murs, comme elle ce jour-là, le visage défait, ravagé, avec un tel besoin d'être écoutée ?

C'est incroyable. Je n'aurais jamais cru que ce soit possible. Après tant d'échecs sentimentaux, tant de difficulté à accueillir l'amour sans réticences, l'homme qui m'accompagne dans la vie a su réparer beaucoup des blessures que je porte. Nous avons maintenant un fils qui entre dans l'adolescence. Un fils qui m'aide à grandir. Car il a bien fallu cesser d'avoir éternellement quatorze ans pour devenir mère. Il est beau, avec son regard très doux, toujours un peu dans le vague. Par chance, il me pose peu de questions sur ma jeunesse. Et c'est très bien comme ça. Pendant longtemps, pour ses enfants, on n'existe qu'à partir de leur naissance. Peut-être sent-il aussi, de façon intuitive, qu'il y a là une zone d'ombre dans laquelle il vaut mieux ne pas s'aventurer.

Lorsque je traverse encore des phases de dépression ou des crises d'angoisse irrépressibles, c'est souvent à ma mère que je m'en prends. De façon chronique, je tente d'obtenir d'elle un semblant d'excuse, une petite contrition. Je lui mène la vie dure. Elle ne cède jamais, cramponnée à ses positions. Lorsque j'essaie de la faire changer d'avis en désignant les adolescents qui nous entourent aujourd'hui : Regarde, tu ne vois pas, à quatorze ans, à quel point on est encore une gamine ? elle me répond : Ça n'a rien à voir. Tu étais bien plus mûre au même âge.

Et puis, le jour où je lui fais lire ce texte, alors que je redoute sa réaction plus qu'aucune autre, elle m'écrit : Ne change rien. C'est ton histoire.

G. a maintenant dépassé l'âge canonique de quatre-vingt-trois ans. En ce qui concerne notre relation, les faits sont prescrits depuis bien longtemps, et le moment est arrivé où – béni soit le cours du temps – sa notoriété a fini par s'estomper, ses livres les plus transgressifs tombant peu à peu dans l'oubli.

De très longues années ont passé avant que je me décide à écrire ce texte, plus encore à accepter de le voir publié. Jusqu'ici, je n'étais pas prête. Les obstacles me paraissaient infranchissables. Il y avait d'abord la peur des conséquences du récit détaillé de cet épisode sur mon cercle familial et professionnel, conséquences toujours difficiles à évaluer.

Il fallait aussi surmonter la crainte du petit milieu qui protège peut-être encore G. Ce n'est pas négligeable. Si ce livre paraissait un jour, je pourrais faire face à de violentes attaques, de la part de ses admirateurs ; mais aussi d'anciens soixante-huitards qui se sentiraient mis en accusation parce qu'ils étaient signataires de cette fameuse lettre ouverte dont il était l'auteur ; peut-être même de la part de certaines femmes opposées au discours « bien-pensant » sur la sexualité ; bref, de tous les pourfendeurs du retour de l'ordre moral…

Pour me donner du courage, j'ai fini par m'accrocher à ces arguments : si je voulais étancher une bonne fois pour toutes ma colère et me réapproprier ce chapitre de mon existence, écrire était sans doute le meilleur des remèdes. Plusieurs personnes me l'avaient déjà suggéré au fil des années. D'autres au contraire avaient essayé de m'en dissuader, dans mon intérêt.

C'est l'homme que j'aime qui m'en a finalement convaincue. Parce qu'écrire, c'était redevenir le sujet de ma propre histoire. Une histoire qui m'avait été confisquée depuis trop longtemps.

À vrai dire, je suis surprise qu'avant moi aucune autre femme, jeune fille à l'époque, n'ait écrit pour tenter de corriger la sempiternelle succession de merveilleuses initiations sexuelles que G. déroule dans ses textes. J'aurais aimé qu'une autre le fasse à ma place. Elle aurait peut-être été plus douée, plus habile, plus dégagée aussi. Et cela m'aurait sans doute soulagée d'un poids. Ce silence semble corroborer les dires de G., prouver qu'aucune adolescente n'a jamais eu à se plaindre de l'avoir rencontré.

Je ne crois pas que ce soit la vérité. Je pense plutôt qu'il est extrêmement difficile de se défaire d'une telle emprise, dix, vingt ou trente ans plus tard. Toute l'ambiguïté de se sentir complice de cet amour qu'on a forcément ressenti, de cette attirance qu'on a soi-même suscitée, nous lie les mains plus encore que les quelques adeptes qui restent à G. dans le milieu littéraire.

En jetant son dévolu sur des jeunes filles solitaires, vulnérables, aux parents dépassés ou démissionnaires, G. savait pertinemment qu'elles ne menaceraient jamais sa réputation. Et qui ne dit mot *consent*.

Mais à ma connaissance, aucune de ces innombrables maîtresses n'a tenu non plus à témoigner dans un livre de la merveilleuse relation qu'elle avait vécue avec G.

Faut-il y voir un signe ?

Ce qui a changé aujourd'hui, et dont se plaignent, en fustigeant le puritanisme ambiant, des types comme lui et ses défenseurs, c'est qu'après la libération des mœurs, la parole des victimes, elle aussi, soit en train de se libérer.

Récemment, j'ai voulu visiter le prestigieux Institut mémoire de l'édition contemporaine. C'est une ancienne abbaye, située sur la plaine de Caen et magnifiquement réhabilitée, où l'on peut, entre autres trésors, consulter sur rendez-vous les manuscrits de Marcel Proust ou de Marguerite Duras. Avant de m'y rendre, j'ai parcouru sur Internet la liste des auteurs dont les archives s'y trouvent conservées et suis tombée avec stupeur sur le nom de G.M. Quelques mois auparavant, il avait fait don à cette noble institution de la totalité de ses manuscrits, mais aussi de sa correspondance amoureuse. Sa postérité était enfin assurée. Son œuvre entrait dans l'Histoire.

J'ai pour le moment renoncé à me rendre à l'IMEC. Je ne me voyais pas m'asseoir dans sa grande salle d'étude au silence solennel, pour déchiffrer les pattes de mouche d'un de mes auteurs fétiches, tout en pensant que mon voisin de table était peut-être en train de consulter les lettres que j'avais écrites à quatorze ans. Je me suis aussi imaginé faire une demande d'autorisation pour obtenir l'accès à ces lettres. Il me faudrait sans doute inventer un mensonge, une thèse à écrire sur la transgression dans la fiction de la seconde moitié du XXe siècle, un mémoire sur l'œuvre de G.M. Est-ce qu'on lui soumettrait d'abord ma demande ? Son accord était-il nécessaire ? Quelle ironie, devoir passer par un tel subterfuge pour avoir le droit de relire mes propres lettres.

En attendant, et même si les autodafés m'ont toujours inspiré le pire effroi, je ne serais pas contre un grand carnaval de confettis. Avec les livres dédicacés et les lettres de G. que j'ai récupérées récemment, au fond d'une caisse restée chez ma mère durant toutes ces années. Je les étalerai autour de moi, une belle paire de ciseaux à la main, et je les découperai consciencieusement en minuscules morceaux de papier que je jetterai ensuite au vent, un jour de tempête, quelque part, dans un coin secret du jardin du Luxembourg.

Ce sera toujours ça que la postérité n'aura pas.

POST-SCRIPTUM

Avertissement au lecteur

Entre les lignes, et parfois de la manière la plus directe et la plus crue, certaines pages des livres de G.M. constituent une apologie explicite de l'atteinte sexuelle sur mineur. La littérature se place au-dessus de tout jugement moral, mais il nous appartient, en tant qu'éditeurs, de rappeler que la sexualité d'un adulte avec une personne n'ayant pas atteint la majorité sexuelle est un acte répréhensible, puni par la loi.

Voilà, ce n'est pas si difficile, même moi, j'aurais pu écrire ces mots.

REMERCIEMENTS

Merci à Claire Le Ho-Devianne, première lectrice « objective » de ce texte, pour ses précieuses remarques et ses encouragements.

Merci à Olivier Nora, qui a décidé sans hésiter de le publier, pour sa confiance et son engagement.

Merci enfin à Juliette Joste pour sa délicatesse et son accompagnement infaillible.

Mis en pages par PCA et achevé d'imprimer sur Roto-Page
par l'Imprimerie Floch à Mayenne.
N° d'édition : 21395 – N° d'impression : 95657
Première édition, dépôt légal : janvier 2020 – Nouveau tirage : janvier 2020